西尾市・安楽寺（生家）にて

一宮市・養蓮寺の庫裏にて

岡山県・愛生園にて

一宮市・養蓮寺の玄関にて

いのちの浄土

中村薫

中村薫遺稿集

法藏館

中村薫君を偲ぶ

真宗大谷派西心寺前住職　近藤　章

「クンバロマロマロマロエ」と声高らかに歌い出す。小さい人たちは「えっ！　誰が」と驚きの眼差しで薫君を見上げる。先程まで「仏さまは、親鸞さまは」と法話をしていた中村薫先生が、訳の分からぬ歌を歌っている。小さい人たちも彼の歌声に合わせて歌い出す。薫君も楽しそうだ。小さい人たちの声が聞こえる処を、何よりも大切にしていた。

薫君は、学生時代に安田先生に出会えたことを喜び、先生の教えに尋ねながら、華厳の教えを学び深めて、多くの人々に伝え続けてくれた。大学のゼミの学生にもまた、小さい人との出会いの大切さを身をもって伝えようと、そのための苦労を惜しまなかった。

薫君は、韓国や中国、モンゴル、バングラデシュの留学生にも同じく学びの場を創造し、共に学ぶ世界があることを模索し苦闘していた。また、全国の子どもの集いに学生時分から関わり続け、「親鸞聖人に出遇ってもらいたい。お念仏に出遇い続けてもらいたい」という願いに生きた生涯だった。

薫君は、家族を愛し、悶えつづけてもいた。急性肺炎と腎不全で入院した時など、私に電話で「今日、朋が来てくれた。……今日、幸が来てくれた。……○○が来てくれんのや。近藤さん電話して来てくれるように言ってくれ、会いたいんだ……」と。いつも子どもたちと家族の事、孫たちの事で胸いっぱいのようであった。その胸の内は常に、大切な綾ちゃんとの念仏の中での語り合いだったようだ。

薫君を語るうえで、どうしても忘れられない人がいる。善さんという方である。善さんの本名は「伊奈教勝」だが、ハンセン病療養所で名のっておられた名前が「藤井善」だ。その善さんとの出会いと、そこから始まった多くの人との出会いがどうしても忘れられない。それは薫君の学びの意識と深く関係している。薫君は学生時代から部落差別の問題を学び続けていた。児童教化連盟の活動においても、戦争が人間に及ぼす理不尽な差別を問い続けた。本山にて開催された「ジュニア大会」における、伊藤ルイさん、高史明さん、佐藤勝彦さん、ユン・ヨンジャさん、新谷栄子さん、金城実さん、祖父江文宏さん等々との出会いを通して、その学びは続いていったのである。「人間とは」「戦争とは」「在日の問題とは」「沖縄とは」という、社会が抱える問題を小さい人と一緒に学び、その事を聖典に還す作業を常にしていた。薫君はその学びの中で、藤井善さんと出会い、ハンセン病の持つ理不尽な差別の問題を問い続けた。まさに善さんの「動けば動くのです。動かなければ何も動きません」という言葉そのままを実践した、尊い一生であった。薫君自身が『いま伝えたい言葉』の後書きに「わたしの関心は、仏教の教えを現代社会の諸問題を通して、いかに聞いていったらよいのかを課題にしていることが明らかとなった」と記す、このこと一つであった。

ご門徒に会うと「ごたいげさま、ありがとう、ありがとう」と握手をしながら嬉しそうに語り合う薫君の姿が眼に浮かぶ。時に涙し、時に怒り、時に笑い、出会いを大切に、「もったいない」「お念仏に出遇ってください」と、声をかけ続けての歩みであった。今も南無阿弥陀仏の念仏の中に生き続ける、童の人なのだ。　合掌

弟　中村薫さんを偲ぶ

真宗大谷派安樂寺前住職　伊奈祐諦

弟、中村薫は幼い頃から腕白で、小学校時代は餓鬼大将でよく知られていた。二歳年上の私は、その弟に守られる、一風変わった兄弟でもあった。家庭にテレビが入った頃、夕方家庭内でチャンネル争いがはじまると、祖父に負けじと自分の見たい番組を主張した。祖父はそれをみて、「兄のお前はおとなしいが、弟の薫は困ったヤツだ」と、よく言っていた。

子どもの頃から自身の主張を曲げず、信念を貫く性格は、大学に入って学ぶ仏教の世界にも多く生かされてきた。仏教を学問として探究する中に、現実生活の様々な課題を問う姿勢を忘れなかった。その求道姿勢が多くの人々との出遇いを生みだし、多くの人から親しまれ、幸せな一生であった。しかし、兄として、弟の人生を想う時、七十一歳はとても早く、とても残念である。兄よりも先に弟が亡くなることは、とても悲しく辛いことである。

私たち兄弟には、叔父に「伊奈教勝」という人がいた。叔父は本名を隠して、藤井善と名乗って、瀬戸内海に浮かぶ長島愛生園に息を凝らし、故郷から隔離され、四十年、耐えてきた。一度は捨てたはずの名、「伊奈教勝」を取り戻し、二度と帰ることはないと思っていた故郷を訪れ、両親のお墓に手を合わせることができた。ハンセン病に対する差別と偏見の大きな壁を破り、叔父は生まれ故郷に帰ることができた。

叔父が故郷に帰ることができたのは、弟、中村薫夫婦の病気に対する正しい理解と熱意による。父、伊奈教雄は、弟、教勝を家に再び迎えることができ、長い間の悲しみ苦しみが報われた。しかし、その喜びも束の間、叔父、教勝は七十歳で亡くなった。弟に先立たれた父の悲しみ、いかばかりか。今、弟、中村薫を亡くした私は、父の悲しみの深さが偲ばれてやまない。

親鸞聖人のお言葉に「なごりおしくおもえども、娑婆の縁つきて、ちからなくしておわるときに、かの土へはまいるべきなり」（『歎異抄』第九条）とある。今、弟、中村

薫は、浄土の世界を背負って、仏となって、私たちを照らし、浄土に導き、護ってい
る。南無阿弥陀仏

合掌

いのちの浄土　目次

中村薫君を偲ぶ　真宗大谷派西心寺前住職　近藤　章　i

弟　中村薫さんを偲ぶ　真宗大谷派安樂寺前住職　伊奈祐諦　iv

金子みすゞとお念仏――3

金子みすゞをご存知ですか？／金子みすゞの生涯／われわれの悩みの根源／いのちの目線／あわれ、生き物は互いに食み合う／集団的自衛権の先にあるもの／生きている責任／真宗門徒　金子みすゞ／わたしに出会っていく教え

おもひで　その一…………飯田真宏　46

『華厳経』と『大無量寿経』――49

出会いとは出会い続けること／『大無量寿経』の翻訳者／『華厳経』の翻訳者／現存する五つの『無量寿経』／菩提心―仏に成る道

を学ぶ――／『華厳経』と『大無量寿経』を翻訳したのは同じ人物？
／『教行信証』における『涅槃経』と『華厳経』の連引の意義／す
べての人が救われるとは「わたし一人」のため／質疑応答

おもひで　その二…………藤村　潔　94

如来の作願をたずぬれば――――――――――――99

このわたしを捨てない／百五十日間の入院／仏教は毛穴から入る／
出家と家出／身と心／如来と我／人間に生まれた／苦悩の有情／王
舎城の悲劇／韋提希の苦悩と愚痴の言葉／阿闍世の救済／身をまか
せる／弘誓の仏地に樹つ／生かされて「ある」

おもひで　その三…………市野智行　144

生老病死——149

「生・老・病・死」は逃れられない／だれも選んで生まれてこられない／生と死は一つ／「忘れたのではありません。思い出せないのです」／一人生まれて、一人去っていく／人間とは不自由なもの／如来他力回向の念仏／法蔵菩薩の誕生／凡夫に帰る／物がいくらでもある時代を生きる苦しみ／おわりに

おもひで　その四……中村　亮　171

あとがき　中村　亮　175

いのちの浄土

中村薫遺稿集

金子みすゞとお念仏

二〇一四年七月一日　人生を考える講座
（於　同朋大学知文会館）

金子みすゞをご存知ですか？

今日は「人生を考える講座」でございますが、ご承知のように、この知文《ちぶん》会館というのはみなさんの後ろの額にかかっております、杉戸《すぎと》ちよという方が一生涯聞法されまして、この土地を同朋大学のために寄付してくださってできたものです。今日はその杉戸ちよさんが帰依された、同朋大学学祖の住田智見《すみだちけん》先生のご命日でもあります。そういった中、本日わたくしは「金子《かねこ》みすゞとお念仏」ということで、これからみなさんと一緒に聞かせていただきたいと思いやってまいりました。

金子みすゞは多くの詩を残された方なのですが、みなさんの中にはその詩を聞いたことがあるという方もおられるかもしれませんね。例えば、東日本大震災の後、テレビでは次の金子みすゞの詩がずっと流れておりました。

「遊《あす》ぼう」っていふと

「こだまでせうか」

「遊ぼう」つていふ。
「馬鹿《ばか》」つていふと
「馬鹿」つていふ。

「もう遊ばない」つていふと
「遊ばない」つていふ。

さうして、あとで
さみしくなつて、

「ごめんね」つていふと
「ごめんね」つていふ。

こだまでせうか、
いいえ、誰でも。
（『新装版　金子みすゞ全集』Ⅲ「さみしい王女」二三七〜二三八頁）

記憶にあるという方も大勢おられるでしょう。本当に感性豊かな詩ですね。今日は金子みすゞの詩を通して、お念仏の教えを聞いていきたいと思います。

金子みすゞのことを少しだけ紹介させていただきますと、本名は金子テルさんと申しますが、一九〇三年に山口県の仙崎《せんざき》（現在の長門《ながと》市）というところでお生まれになられました。港町で、特に遠洋漁業でクジラを捕っていましたから、仙崎にはクジラ墓があります。漁師さんは「クジラのいのちをいただいておる」「クジラのおかげで生活させてもらっている」と、クジラのお墓を作って毎年供養しているのです。金子みすゞはそういう港町で生まれ育ちました。

生まれということに関連して申し上げるならば、わたしたち一人ひとり例外なく、人間というのは親を選ぶことなくこの世に誕生してまいります。「この人がお父さんで、この人がお母さんなら生まれてきてもいいよ」と約束をして生まれてきた人は一人もいません。気が付いたらこの人がお父さんであり、この人がお母さんだった。そういう中、お父さんお母さんによって子どもの将来は大きく影響を受けます。

わたくしの息子が養護施設に勤めておりまして、今現在はどうか分かりませんが、以前聞いた所によると、養護施設に来る子どもたちのほとんどは両親がいるということでした。わたしが子どもの頃は孤児院と言いまして、お父さんお母さんがいないから孤児院に預けられるというイメージを持っていました。今はそうじゃありません。両親がいながら、両親が離婚したり再婚したりして、そこに居られない状況になる。また中にはドメスティックバイオレンスという問題がある。普段はとっても優しいお父さんだけれども、何かが起きると突然、子どもやお母さんに暴力をふるう。そのケガなどの状況から児童相談所の人が「これはダメだ、養護施設に預けましょう」ということで連れてこられる人。それから「自分たちは仕事をしなければならない、だからこの子を育てていけないからお願いします」ということもある。もちろん、両親がいなくてやって来る人もいらっしゃるでしょう。けれどもこの現状を見ますと、親によって、その子の将来は左右されていくことがある。これが現実のわれわれです。

そうしてみますと、金子みすゞはお父さんが早くに亡くなっておりますか。そういうことはどこにでもあるでしょうが、ではお母さんが一人で育ててくれたかというと、お母さんは下関《しものせき》にある親戚の本屋の主人の所へ後妻に行ってしまうのです。下関の本屋のご主人も奥さんを亡くしたので、悪く言えばお母さんは自分を捨てて、親戚の所に行ってしまった。それで金子みすゞはおばあちゃんに育てられていくのです。こういう状況というのは、自分では選べません。世の中に生きておりますと、こういう出来事はたくさん、いろんな形で出てまいります。それで金子みすゞはおばあちゃんに育てられて、そのおばあちゃんが家の二階で『歎異抄《たんにしょう》』を輪読《りんどく》するところへお茶を運ぶなど、どっぷりと真宗門徒の空気を吸って育ったのでした。

金子みすゞの生涯

金子みすゞ（本名テル）が二十歳を越えた時、後妻に嫁いだお母さんに子どもが生まれています。みすゞから言えば弟に当たるのですが、二人は従兄弟《いとこ》として育てられていきます。しかし、その子が段々育っていく中、みすゞは彼が自分の弟であると分かる。でも弟さんは、そのことに気付かない。だから「テルちゃん、テルちゃん」と、恋心を持ってしまった。それで本屋の主人はその状況を心配して、本屋の番頭さんとみすゞを結婚させてしまったのです。

ところが厄介なことに、夫になった人は他に好きな人がいたみたいなのです。だから夫は浮気ばかりしている。彼女は「主人と私は気性が合わない。浮気をしてもとがめたりはしない。浮気をするのは、私にそれだけの価値がなかったからだから。けれど一緒にいる事は不可能だった」ということを言っています。

日々の生活において、みすゞはもう、身も心もクタクタで、精神的にも肉体的にも参ってしまっているという状況でした。夫はみすゞの生き甲斐であった詩を書くことすら許さない。詩を書いて封筒に入れて送ろうとすると、見つかって破られてしまう。何とか東京へ詩を送ってそれが本に載って、それを見ようとしても捨てられてしまう。嫉妬なのか、意地悪なのか、何があったのかは分かりません。ただ、そういった日々の中、金子みすゞとその夫とは人間的な出会いを見失い、一つになることはできなかったのです。

しかし、子どもさんは授かりました。ふさえさんという女の子です。一生懸命育てていたんですけれども、夫は暴力を振るい浮気をし、さらにみすゞは淋病《りんびょう》という病気をうつされてしまったのです。そのことが原因でお腹は痛み、二階にも上がれないほどの大変な状況になりました。こういったことが繰り返される中、子どものためにもと、みすゞは離婚を決意します。しかし、ふさえさんをどちらが育てるかという親権が問題になるのです。これは当時の世の流れもあるのでしょうか、ご主人が出身の九州へ子どもを連れて帰るということになってしまった。金子みすゞは「あなたに与えられるのはお金だけで、心の糧は与えられません」と書き残しております。

ご主人が子どもを引き取りに来る前日のことです。みすゞは写真屋さんに行って自分の肖像を撮り、饅頭屋さんへ行って桜餅を買ってきて、子どもとおばあちゃんと一緒に食べました。そして、これまでは病気で一緒にお風呂に入ることができなかったけれども、その日だけはと一緒にお風呂に入りました。ふさえさんは当時まだ幼児ですから体も洗ってやる。そして布団に入ってお話をする。娘が寝た後、みすゞは二階へ上がり、薬を飲んで自ら命を絶ってしまった。二十六歳でした。

わたしは、この後に紹介します「大漁」という詩を今から三十年ほど前に『アサヒグラフ』で見て、びっくりしたのです。「お釈迦さまと同じことをおっしゃっている人がいるんだなぁ。金子みすゞってどんな人だろう」と。それで金子みすゞに会いたいと思い、できれば同朋大学にお話しに来てもらおうと考え、出版社に電話しました。すると「もう五十年前に亡くなっておられます」と、その時に初めて聞きました。それまで金子みすゞという人のことを全然知らなかったのです。

ところがその後、早稲田大学の矢崎節夫《やざきせつお》という児童文学の先生が、金子みすゞの弟さんが持っていた、詩の書いてある手帳を六冊ほど貰われた。そこには五百三十ほどの詩が書いてあり、それを出版してくださったので、今ではわれわれもその詩を見ることができるようになりました。いくつかご紹介してまいりたいと思います。

われわれの悩みの根源

「大漁《たいれふ》」

朝焼《あさやけ》小焼《こやけ》だ
大漁《たいれふ》だ
大羽《おおば》鰮《いわし》の
大漁《たいれふ》だ。

濱《はま》は祭《まつ》りの
やうだけど
海《うみ》のなかでは
何萬《なんまん》の
鰮《いわし》のとむらひ
するだらう。

（『新装版　金子みすゞ全集』Ⅰ「美しい町」一〇一頁）

この「大漁」という詩は、港町で育った金子みすゞが実際に見た状況を詠《うた》っています。それがわれわれと少しだけ違うのは、われわれは見えるものしか信頼できない。

そんな中、金子みすゞはその目線を「海のなか」に持って行っておられますね。同じ仲間のいのちが奪われてしまった鰯が弔いをしているという状況です。そんなことは実際にはあり得ないのですけれども、金子みすゞの心の中ではそう見える。奪われていく者の悲しさ、虐《しいた》げられている者の寂しさ、差別されている人の苦しさ、そういういのちの目線に立ったのが金子みすゞなんです。感性ですね。

人間には本来、感性があるのですが、われわれは分別《ふんべつ》・理性ばかりを頼りにして生きております。仏教では「分別」と書いて「フンベツ」と読みます。みなさんが苦しかったり、いろんなことを思われたりするのはみんな分別であり、われわれの悩みの根源がこの分別なんです。もちろん、生活していくのに分別は必要です。日本は法治国家ですから、法律を守り、世間体も気にしながら生きていく、これは大事なことです。大事なことなのだけれども、われわれはこれに執着するのです。ここを今日はハッキリと押さえておいてください。

もう少し詳しく申し上げましょう。この分別《ふんべつ》、「分けて差別する」とはどういうことか。分かりやすい言葉で言えば「絶えず損か得かと分けて考えている」ということです。仏教では「はからい」とも言います。時にはお金のために友情を裏切ることもあるでしょうし、何が得で何が損になるかは分かりませんけれども、それを絶えず秤《はかり》にかけているのです。

「今日は得した」「今日は損した」という言葉が普段から出ることはありませんか。わたしなんかはナゴヤドームに行って中日ドラゴンズが景気よく勝った日には「今日は得した。良い試合だった」となる。しかし、一回の表に五点、六点入れられた時には「今日は面白くない、損した」と、いつでも損得で考えてしまっています。

特にわれわれはお金やモノに対しては計算して、執着しているでしょう。死んでいく時にはみんな置いていかなければならないのに、それに執着してしまう。時には自分のところにやって来る親戚に対し、財産が目当てで来ているんじゃないかと疑いの心まで起きてくる。情けない話ですよね、生きている間は「俺が、俺が」で「この人は良い、この人はいけない」と分けて差別をし、その考えに執着していく。しかし、それが人間の生き方なんでしょう。

別の言い方をすれば、みなさんは知らない間に、感覚的に「好き・嫌い」ということがあるのではないですか。好きな人、嫌いな人。好きなもの、嫌いなもの。どこで判断するかはそれぞれですが、絶えず出てくるそういったことも分別です。

幼稚園に通っているわたしの孫ですけれども、わたしが旭川《あさひかわ》と千歳《ちとせ》にお話しに行く時に、「みんなで北海道に行こう。それで旭山《あさひやま》動物園で動物を見よう」と連れて行きましてね。そして千歳におられるわたしの仲間にお寿司屋さんに連れて行っていただいて、美味しいお寿司を食べた。そしたら子どもっていうのは正直なもので、北海道のイクラは美味しいってことが頭の中に入ってしまった。そうしたら生意気に、わたしが北海道に行く時には「イクラ買ってきて」と言うようになってしまいました。美味しいものは美味しい、イヤなものはイヤ。好き、嫌いで分けていくのは人間関係でもあるでしょう。「この世であの人さえいなければ、わたしの人生バラ色なのに憎たらしい」という人、一方で自分が心から愛する人、いろんなことがありますね。

他にも、「上・下」「右・左」など、こういった相対的なものにわれわれは縛られているでしょう。目上の人に対する言葉遣いは大事なことですけれども、それに執着してしまうと今度は「あいつは俺に挨拶してこなかった」と怒りがわいてくる。自分の方から挨拶をすればいいのに、「自分の方が先輩だから」と挨拶の順番に執《とら》われてしまって、大変窮屈なことになってしまう。このような形で、われわれは常に計算し、そして分別に苦しんでいるのです。

専門的なことを一つ申し上げますと、仏教では「無分別智《むふんべつち》」という言い方で、さとりの世界を表しています。分別を超える、執着から離れる、難しいですけれどもこれが大事なことなのです。もう一度申し上げますが、われわれの生活は分別です。それは計算で、論理的で、理性です。それに対して、そういった理性などの分別を超えた感性、これを人間は持っている。花を見て「美しい」と思うのが感性なんです。

いのちの目線

テレビのドキュメント番組で、ある女性のことが取り上げられていました。その方は小学校四年生の時にチューリップの絵を描いて、土をピンク色で塗ったら先生から「ダメでしょ、土はこんな色じゃないでしょ」と言われたそうです。そのことだけが原因ではないと思いますが、その出来事が縁となって、彼女は引きこもってしまった。

先生が言われていることは、もっともなことです。確かに土はピンク色ではありません。しかし、彼女は土がピンクに見えたからピンク色で描いた、これは感性ですね。そこでぶつかってしまって、それで学校に行けなくなってしまった。

それから三十年近く引きこもることになったようです。お母さんはこの状況に困ってしまって、それで機織《はたお》り機を買ってきて、家の中でカチャンカチャンと作業するようになりました。そうしますと、引きこもっていた娘さんも隣にやってきて二人で機織りをして、帯の幅くらいのものを織るようになったそうです。

出来上がった織物の柄模様がとっても素敵で評価をされるようになって、それで外国の博物館などで個展まで開かれるようになった。ロンドンや東京など、あちこちで個展が開かれるのだけれども、彼女はしゃべれない。「先生、これ素敵ですね」と言われても「はい」と返事する程度。それでもやっと外に出ることができるようになったのですね。ほとんどはお母さんがお相手をしておられるようですが、彼女は機《はた》を織ることによってやっと自分の人生の生き甲斐を見出していったのです。彼女の三十年間の苦悩の一つは、感性と分別（理性）とのぶつかり合いだったと言えます。

これと同じように、今の子どもたちを取り巻く社会にもいろんなことが起きております。感性豊かな子も、偏差値というものによって、言い換えれば「勉強しなさい」という形で生きている。そういう中で、この金子みすゞの詩を見ていきますと、わたくしは深い感性を思うわけです。

金子みすゞは感性の目線から「海のなか」を見ていますが、実はこれと同じことをおっしゃったのがお釈迦さまでした。ジャータカ物語に出てきます「耕《たがや》しの祭り」です。ご承知のように、お釈迦さまは国の王子としてお生まれになったけれども、生まれて一週間でお母さんのマーヤー夫人が亡くなっておられます。そして後妻でやってこられたのが妹のマハーパジャーパティー。そしてその間にも子どもさんが授かります。金子みすゞとは反対の異母兄弟ですね。そういう中で育ったお釈迦さまも、今で言えば引きこもりの生活を送っておられたのです。

お父さんの浄飯王《じょうぼんおう》はこの状況に困ってしまって、それで王子に耕しの祭りに出かけるよう促しました。こうしてお釈迦さまは祭りに出かけられ、そこでお百姓さんが鞭で牛を打ち、田を耕す光景に出会ったのです。田を耕していると、土の中から小さな虫が出てきた。その虫を小鳥がくわえて飛んで行ってしまった。そしたら今度は夕カのような大きな鳥がやって来て、その小鳥を捕まえて飛んで行った。お釈迦さまはその光景を見た時に、

あわれ、生き物は互いに食《は》み合う

と言われたのです。「あわれ」というのは悲しみ、慈しみですね。そして「どうして生き物は互いにいのちを奪い合わなければいけないのか」と叫ばれた。こういった物語です。

たったそれだけの出来事です。われわれの分別から言えば、このような光景は弱肉強食という、当たり前のことと考えられている出来事です。しかし、食卓に出された牛肉、豚肉、野菜、魚、お米、全てにいのちがあったのです。そのいのちを、われわれはどのようにしていただいているのでしょうか。

あわれ、生き物は互いに食み合う

以前に、犬養道子《いぬかいみちこ》さんの本を読んで教えられたことです。過去の統計になってしまうので今現在の状況とは違う部分があるかもしれませんが、その本には、一時間の内に千八百人の五歳未満の子どもが飢えで亡くなっているのがこの地球であると書かれていました。考えられないでしょ、われわれには。

もう三十年くらい前になりますか、エチオピアで暴動があった際、多くの子どもたちがその犠牲となりました。当時テレビには、イギリスのボランティアの人たちが衰弱した子どもを助けるために、ベッドではなく机の上にその子どもをのせて治療するところが映し出されていました。その子は骨と皮だけと言えるほどに痩せ細り、お腹だけが膨らんでいる。それで女性のお医者さんが重湯《おもゆ》のようなものをその子どもの口につけるのです。しかし、その子は重湯を飲み込むこともできず、口の横からツーっと出てくる。結局、その子はそのまま亡くなってしまったそうです。ナレーションが言っていました。「あれほど食べたいと思った食べ物が、口に入った時にはそれを受け付けなかった現実がある」と。

その一方、飢餓で亡くなる子どもたちが映し出されたすぐ後の時間に放送されていたテレビ番組のことです。そこには何ものっていない白いケーキを相手の顔にパーンとぶつけて遊ぶ大人たちの姿がありました。それから一分間でスイカをいくつ割れるかを競争して、どんどん割っていく。時間的には三十分くらいずれていたかどうかというだけですが、一方では尊いいのちが亡くなっていく現実。一方では食べ物で遊んで、それを捨てていくような現実。テレビにはこれらが矛盾なく同時に映し出されて、そうしてわれわれの中に入り込んでしまっていたということでしょう。

そのような現実に対してお釈迦さまは「あわれ、生き物は互いに食《は》み合う」とおっしゃったのです。生き物は生きていくために、しかし、どうしてお互いに奪い合わなければいけないのか。これは絶対的な矛盾ですが、しかし、そのどうすることもできない矛盾を感じていくということが大切なのです。そのような矛盾を当たり前のこととしてすり抜けていくのではありません。極端なことを言えば、牛や豚は人間に食べられるためにこの世にいのちを授かったわけではない。しかし、人間はそれを食べなければ生きていけない現実があるのです。

そんな中で一つわたしが教えていただいたのは、「ウレシパモシリ」というアイヌの言葉です。アイヌの人たちは文字を持ちません。言葉だけです。例えば、北海道の「サッポロ」というのもアイヌ語ですけれども、それが「札幌」という文字で、また読み方で残っています。これは大和《やまと》の人が漢字に当てはめただけです。

それで「ウレシパモシリ」ですが、これはウタリ協会の野村義一《のむらぎいち》という方から教えていただきました。この言葉の意味ですが、「この世のものは人間だけのものではない。生きとし生ける全てのものが共存共栄し合って生きる」という内容だそうです。共に生き、共に栄えていく。つまり、この世の中は人間だけのものではないとおっしゃっているのです。アイヌの人たちはそのことを実践しているので、熊一頭、そのいのちをいただいたら爪から何から全てを大事にいただいて捨てない。勿体ないことはしないのです。また、エゾマツの太い木を一本切って舟を作ったならば、その跡には必ず苗木を植え、そしてコタンの神にお祈りをします。石狩川《いしかりがわ》に上ってくる鮭も乱獲しません。自分たちが食べる分だけを漁《と》り、いただく。このように自然と共に生きていくのがアイヌの人たちなのです。

ところが大和の方では、特に弥生時代以降は農耕が始まり、生活の中心になっていきます。そうすると蓄えるということが出てきます。蓄えると、人間はもっと蓄えたくなるのです。『大無量寿経』の中にも「田畑があればあったで憂い、悩み、苦しむのが人間だ」と説かれています。それだけではなく、「家が無い人は家が欲しいと悩んでいる。けれども立派な御殿のような家に住んでいる人は、そのことでまた悩み苦しんでいる」と説かれているのです。もっと単純に「人間は無ければ苦しんで、有ったならば幸せだ」ということならいいのですが、われわれの現実はそうではありません。次から次へと、欲しいものや苦しみやらいろいろなものが出てくるでしょう。

先ほど申し上げた「分別《ふんべつ》」で言えば、もう一つ厄介なのが「自・他」の分別です。絶えず、自分と他人とを比較して生きているでしょう、人間は。だから厄介なんです。家族の中においても、この比較はされてきますね。「お姉ちゃんはとっても優秀で、それに引き換えあなたは」という自他の差別が親の中で生じてくる。兄弟の中でも自他の差別をもって分別している。そんな中で悩み苦しみ、欲の限りを尽くしていく。「ウレシパモシリ」とは、そういうこととは方向性が大きく異なるものです。この世にあるものは人間だけのものではない、生きとし生けるもの全てが共存共栄し合って生きるということなのです。そうしてみますと、この「大漁」という詩は、表の見える部分と、見えない部分との心を詠っていますね。

集団的自衛権の先にあるもの

それからもう一つ、詩を見てまいりたいと思います。

「私と小鳥と鈴と」

私が両手をひろげても、
お空はちつとも飛べないが、
飛べる小鳥は私のやうに、
地面《ぢべた》を速《はや》くは走れない。

私がからだをゆすつても、
きれいな音は出ないけど、
あの鳴る鈴は私のやうに
たくさんな唄は知らないよ。

鈴と、小鳥と、それから私、
みんなちがつて、みんないい。

（『新装版　金子みすゞ全集』Ⅲ「さみしい王女」一四五頁）

実は今日は、わたしたちにとっては忘れてはならない日になりました。政府は集団的自衛権を容認しました。残念ながら、平和を願ったはずの政治家も何かに執着していくのでしょうか。いろんな理屈を付けながらも、結局は合意してしまいました。これから閣議決定に入っていきます。われわれにおいても、反対・賛成、いろいろあるとは思いますが、これは大変なことであります。時によっては戦争を容認していくような、そんな大変なことが起きたのが今日という日なのです。みなさんもどうか忘れないでくださいね。わたしにとっては、屈辱的な一日となっております。

ご覧いただいた金子みすゞの詩にある「鈴と、小鳥と、それから私、みんなちがって、みんないい」という言葉。それは「人それぞれ足す必要も引く必要もない、あなたはあなたのままでいいんだよ、輝いていいるんだよ、心配しなくたっていいんだよ」と寄り添ってくださるものです。大谷派では蓮如上人の五百回忌の法要の時に「バラバラでいっしょ～差違《ちがい》をみとめる世界の発見～」というテーマで御遠忌が勤まりました。他と比較して悩んだり苦しんだりする必要は一つも無い。人は人、我は我、されど仲良きかな。そういう世界ですね。

実はこの「私と小鳥と鈴と」はかつて童謡として歌われていたのですけれども、昭和十四年、十五年頃から、だんだんと消えていきました。戦争中はこういう詩は困るのです。「みんなちがつて、みんないい」ではなく、「右向け右、左向け左」と、はみ出るものを許さないのが戦争に向かっていく当時の時代背景なのです。

そういうことを見ますと、わたくしは今は、とっても良い時代であると同時に、とってても怖い時代に入ったなぁということを感じております。例えば、福島の原発の問題。今、子どもたちはどういう状況にいるのか。発がんの問題などもマスコミはだんだんと触れようとしないような、そういう空気があります。

昨日テレビを見ていましたら、東京で焼身自殺を図った方のことがニュースで取り上げられていました。その方は、集団的自衛権に反対すると叫ぶなど、安部《あべ》総理へ苦言を呈していたそうです。結果的に、その方のいのちは助かったようでありますが、そういったことも今は封じられてマスコミに取り上げられません。そのように、われわれはいろんなものに操作される中で生きているのです。

この「私と小鳥と鈴と」という詩も、そういった時代社会の中で消されていきました。それから与謝野晶子《よさのあきこ》の「君死にたまふことなかれ」という文章。戦争に行かなければならない弟さんに「死んではダメだ」と言う。そういった言葉も封印されていった時代でございます。

北朝鮮や中国でもいろいろと言論などが統制されているようですけれども、もっと恐いと思うのは「日本は平和で自由で良い」と思っている間に、じわーっといつの間にか、いろいろなことが言えないような時代に入ってきたということです。これは大変でございます。今日の閣議決定から確実に、若い人たちが時によっては戦争に出かけていくことになります。これで防衛省の防衛大学校に入る人は少なくなるでしょう。自衛隊を辞める人も増えてくるでしょう。誰だって、戦争には行きたくないのです。

そのような中、テレビニュースを見ていましたら、ニュースキャスターが「集団的自衛権の行使で戦争になり、若者が死んだらどうするのか」と尋ねておられました。すると石破《いしば》幹事長は「日本だけ犠牲を出さずに、外国の人だけが一生懸命やっている。日本も外国と同じくらいやらなければならない」というようなことを言っておられました。若者が死ぬことも想定したうえで進めているのです。口先ではうまいこと言い訳をしておりますが、閣議決定が済んでしまえば、後は総理大臣の心ひとつでどうにでもなっていくのではないでしょうか。

例えば、以前は消費税が三パーセントでした。当時わたしは「これは大変なことだよ」と申し上げたのですが、「三パーセントくらい大丈夫でしょう」と言い、自民党を後押しする方が大勢おられました。しかし結局、三パーセントの消費税が成立した後は五パーセント、それから八パーセント、十パーセントと。われわれの手を離れて国会で決定されていきます。

そういう意味では、民主主義の一つの恐さというのもあります。だけれどもわれわれは、最後の一人になってもやはり声を挙げて言い続けなければなりません。戦争はいけません。そしてお釈迦さまは「兵戈無用《ひょうがむよう》」ということをおっしゃっている。この世から一切の武器と兵器を無くして、平和を願われたのがお釈迦さまなのです。われわれの多くの人の考え方は、武器を持ったうえで平和を願おうというものでしょう。しかしそうではなくて、外国の人たちと仲良くしていく外交が大事なのではありませんか。

ある中学生の子が言っておりました。毎年、日本では四兆円から五兆円が戦闘機や潜水艦などの武器に使われていく。このお金をもし、アジアの国々に分けてあげたらどうかという意見を出しておりました。武器を持って平和を願うよりも、それだけのお金を友達としてお互いに分け合っていく。この使い方の方がいいのではないかと、中学生の子ですから純粋にそう考えたのでしょう。世の中はそういかないことは分かってはいますが、しかし今日、不安が出てまいりましたね。

生きている責任

もう一度「私と小鳥と鈴と」の最後の所、「みんなちがつて、みんないい」という文章をご覧ください。これは「あなたはあなたなんだよ、足す必要も引く必要もないんだよ」ということです。『阿弥陀経』というお経では、

青色青光《しょうしきしょうこう》　黄色黄光《おうしきおうこう》　赤色赤光《しゃくしきしゃっこう》　白色白光《びゃくしきびゃっこう》

（『真宗聖典』〈東本願寺出版、以下『聖典』と略す〉一二六頁）

つまり「青い色は青い光を放ち、黄色は黄色い光を放ち、赤い色は赤い光を放ち、白い色は白い光を放つ」と説かれています。これが道理というものです。青い色から赤い光を放ち、白い色から黄色い光を放つ、そうではありません。そんな必要は一つも無いのです。それぞれが互いに、それぞれに輝いていく。赤は赤で、白は白でいいんです。あなたはあなたでいいんです。ところがわれわれは「みんな白になれ」とか「みんな黄色になれ」と言って、はみ出すものを許さない。「みんな同じでなければダ

メだ」という考え方に走ってしまうのです。何より、国の政治をつかさどる人が「みんなちがつて、みんないい」ということを嫌がり、そうなったならば困ってしまう。そういう状況が今の社会でしょう。

もちろん、この「みんなちがつて、みんないい」というのは、それぞれの勝手都合という意味ではありません。学校ならば校則があるし、われわれの世界なら法治国家ですから法律があります。ですから勝手なことはできませんし、それをして良いというわけでもないのです。しかしそこに、自由自在なる生き方、自らが自らに由《よ》って生きていくのです。言葉を換えて言えば、われわれには生きている責任があるのです。その生きている責任ということは、生かされて在《あ》る身であるということなのです。「俺は俺で生きている」ということも間違いではありませんが、しかしそれは同時に、生かされて在《あ》るいのちということでもあるのです。

だから仏さまは「青色青光　黄色黄光　赤色赤光　白色白光」、「あなたはあなたの色でいいんだよ」とおっしゃるのです。一切、条件を付けてはおられません。「おまえのこういう部分はダメだ。こうすれば救ってやるよ」「こういう考え方になりなさい」、そうじゃないんです。道理の前では平等です。

この道理を曇鸞《どんらん》大師は何と見たかというと「時《とき》」、つまりわれわれは時間に生きているということです。この「時」というものは平等に与えられている。何人たりとも例外なく、同じように与えられている。どのようにその「時」を過ごすかは自由でなければならない。拘束されてはならない。しかし、現実はそうはいきませんね。時間に縛られて生きているでしょう。

だから屁理屈になってしまいますけれども、「忙しい」と「忘れる」という字は親戚なのです。「忙しい」というのは結構なことですけれども、危ないということです。「忙しい、忙しい」で、限りある我がいのちだということを忘れてしまうのです。会社の為、何々の為と一生懸命に生きてきたつもりでも、「わたしの人生は何だったのか」と深い精神の奥から問われてくるのです。そういう意味で、「忙しい」と「忘れる」は親戚だと申し上げました。仕事が忙しいのはありがたいことですけれども、忙しくする中で我《われ》を忘れて自分を見失ってしまう。そういう生き方の中で「我《われ》を見よ」ということです。

思い起こしてみますと、昔の人は「暇をかいて」とおっしゃっていましたね。「お忙しい中、ようこそ」というのが今日《こんにち》でありますが、昔の人は「ようこそ、暇をかいて」です。例えば、「雪かき」という言葉があるでしょう。これは雪を集めて除くということですね。ですから「暇をかいて」というのは、「暇をかき集めて、ここに座っている」ということなのです。朝起きてお腹が痛ければ、今頃は病院のベッドの上で七転八倒しているというのがわたしたちでしょう。そういった身が今、ここにいるということは大変なご縁であります。それが「自由自在」ということです。

「私と小鳥と鈴と」で書かれている通り、人間は空を飛べません。しかし、飛べなくたっていいのです。小鳥は地べたを速く走れなくたっていいのです。それぞれの個性、それぞれのいのちを、それぞれの責任において自由に生きている。だから「みんなちがつて、みんないい」のです。

真宗門徒　金子みすゞ

最後に「お佛壇」という詩を見ていきたいと思いますが、いくつかの段に区切って、少しお話ししながら読んでまいりたいと思います。

「お佛壇《ぶつだん》」

お背戸《せど》でもいだ橙も、
町のみやげの花菓子も、
佛さまのをあげなけりや、
私たちにはとれないの。

だけど、やさしい佛さま、
ぢきにみんなに下さるの。
だから私はていねいに、
兩手かさねていただくの。

金子みすゞは小さな家で育ちました。今では、金子みすゞが幼少期を過ごした場所には「金子みすゞ記念館」ができましたし、「みすゞ通り」という名前が付いた通りもあります。そして、この詩から確かに分かることは、みすゞがその家で真宗門徒の生活を送っていたということです。

かつて日本人の多くの人たちは、いただいたものがあったら必ず仏さまにお供えしたものです。お仏壇、お内仏に先ずはお供えをして、それからいただくのが習慣としてありました。今ではどうですか、みなさんはそういったことをしておられますか。わたしどものほうは田舎ですから、今でも「お初穂《はつほ》」と言って、その年に初めて採れたお米や麦などを農家の方が持って来てくださる。お仏飯《ぶっぱん》として、仏さまに差し上げるために、みなさんが持って来てくださるのです。他にも、その年にできたキュウリやトマトの初物《はつもの》を持って来てくださったりします。

これは何かと言えば、作物というのは人間の努力だけで大きくなるのではなく、天と地のいろんな恵みによって育つでしょう。そのことをきちんといただいていくということです。だから喜びの表れや感謝の気持ちとして、必ず真っ先に仏さまにお供えをするのです。でも、仏さまはお供え物を持っていったりしない。だから「私はていねいに、兩手かさねていただくの」とお供えしたものを後ほど、おさがりでいただくのです。今現在ではこういった習慣は失われつつある状況にありますが、これはとても大事なことなのです。

家《うち》にやお庭はないけれど、
お佛壇にはいつだつて、
きれいな花が咲いてるの。
それでうち中あかるいの。

そしてやさしい佛さま、
それも私にくださるの。
だけどこぼれた花びらを、
蹈《ふ》んだりしてはいけないの。

ここでは勿体ないということを言っておられますね。つまり、仏花、お供えする花はどちらを向いているのかということです。こちら側（わたしたちの方）を向いているでしょう。仏さまにお供えするということならば、「仏さま、どうぞ」と向こう側（仏さまの方）を向けてもいいと考えられるかもしれません。

ところが、花がこちらを向いている、これは実は仏さまを中心にこの世界が荘厳されている、花で飾られていることを表しているのです。ですから仏花はその向きも大事ですが、それと同時に枯れるということも大事なのです。「諸行無常《しょぎょうむじょう》」という教えがあるように、ずっと常に存在するというものは何も無いのです。ですから、お供えする、お給仕するということは、立て替えるということが大事なのです。中には「造花じゃいけませんか」と言われる方もおられます。人それぞれ、いろんな事情を抱えているとは思います。しかし、造花をお供えすることについては「ダメです」と申し上げたいと思います。やはり「諸行無常」ですから、枯れることが大事なのです。

そうして、枯れた花を替えようとしてさげる時に、菊の花びらなどが落ちることもあるでしょう。それに対して金子みすゞは「こぼれた花びらを、蹈《ふ》んだりしてはいけないの」と、勿体ないと言っています。だから昔から、お経の本は布にくるんだり、膝《ひざ》に置いたりされてきました。「畳の上に直接置いたりして踏んだりしたら勿体ないからいけませんよ」というのが、金子みすゞの世界なのです。

わたしに出会っていく教え

朝と晩とにおばあさま、
いつもお燈明《あかり》あげるのよ。
なかはすつかり黄金《きん》だから、
御殿のやうに、かがやくの。

朝と晩とに忘れずに、
私もお禮をあげるのよ。
そしてそのとき思ふのよ、

いちんち忘れてゐたことを。

忘れてゐても、佛さま、
いつもみてゐてくださるの。

だから、私はさういふの、

「ありがと、ありがと、佛さま。」


金子みすゞがおばあちゃんの後ろ姿を通して、念仏の教えに触れていったことがうかがえますね。これは女流作家の岡部伊都子《おかべいつこ》さんからお聞きしたことです。岡部さんが育った家庭の詳しい状況は分かりませんが、岡部さんのお母さんもいろいろとご苦労をされたそうです。そのお母さんは晩にお灯明をつけてお勤めされるので、それで岡部さんも後ろで一緒にお参りをされていたそうなのです。それである時、お母さんが『御文《おふみ》』を読まれていたそうなのですが、そのお母さんの肩がヒクヒクと揺れたと言われるのです。お母さんは『御文』を読みながら泣いておられたそうなのです。

それはいろんなことを思い出されたのか、「勿体ない、ありがたい」ということなのか、それとも自分の苦労してきたことがよみがえってきたのか。その涙の背景は分かりませんが、お母さんは仏さまと相談し、仏さまの前で涙を流して泣いておられた。岡部さんはそのお母さんの後ろ姿を見て育ったのです。岡部伊都子さんは京都の仏像や仏教のお話について、たくさんの本を書いておられます。金子みすゞとは違った形ではありますが、念仏の教えに触れておられたからだと思うのです。

そして「朝と晩とに忘れずに、私もお禮をあげるのよ」とありますが、これが大事なことなのです。現代社会はこの「仏恩報謝《ぶっとんほうしゃ》」という部分が欠けてしまったのです。先ほどは大事なこととして「分別《ふんべつ》」について確認していきましたが、もう一つとっても大事な問題として、この「仏恩報謝」を確認していただきたいと思います。

みなさんに押さえておいていただきたいのは、「念仏の教えは無いものねだりではない」ということです。商売繁盛、家内安全、無病息災、延命長寿など、これらは全てわれわれの思いです。もちろん、それらを否定するのではありません。いろいろな時に出てくる思いですし、これはこれで大切なものでしょう。しかし、念仏はそういった無いものねだりではないのです。真宗による救いは「仏恩報謝」、仏の恩に報謝できる我が身であるということなのです。つまり感謝です。そして、その集まりが報恩講です。

感謝と言うと、親や先祖に対するものということが浮かびやすいかもしれません。それはとても大事ですし、決して否定してはいけないものです。ただ一点申し上げるならば、親や先祖への恩というのは、個人的な計算になってしまう、非常に限定的なものになってしまうのです。念仏はそのことを超えていく世界であり、どこまでも広く仏の恩に報いていく、感謝していく自分の生き方なんです。

ですから「生きている間に仏法でも聞いておこうか」という話ではありません。ビルの教室などで、身につまされるような、得をするカルチャーセンター的な話を聞くということであれば、それでも良いでしょう。しかし、この知文会館に来て話を聞くということは、「本当のわたしに出会っていく」ということなのです。つまり、「仏法でも聞いておこうか」というのは知識だということです。これもある意味で大切ですが、念仏の教えはそうじゃないんです。仏法を聞くために与えられているいのちだということです。ここがわたしの生きる道だということです。

黄金《きん》の御殿のやうだけど、
これは、ちひさな御門なの。
いつも私がいい子なら、
いつか通つてゆけるのよ。

（『新装版　金子みすゞ全集』Ⅱ「空のかあさま」二三三～二三五頁）

浄土の門です。浄土の門はどこかに固定的に存在していて、そこに行くというものではありません。少し難しい言葉ですが「往還《おうげん》」、往《い》ったら還《かえ》るということです。「往還」と書いて仏教では「オウゲン」と読みますが、田舎では「往還道路《おうかん》」など、「オウカン」と読んだりします。つまりお百姓さんにとって、あぜ道は往《い》ったら還《かえ》る（戻る）道です。国道一号線のような広い道は往きっぱなしということがあるでしょう。そうではなく往ったら必ず還る、還ることが約束されて往くということです。

それが「回向《えこう》」といって、「往相《おうそう》」「還相《げんそう》」という言い方で表されます。つまりわれわれが仏法を聞くのは、仏に成るためなのです。「仏教を学びたいから、こうして座っている」ということだけであるならば、大学の印度哲学科に行けばいいのです。それも大事ではありますが、仏教を知識としてだけ学ぶのではなく、仏に成るんです。仏に成るということは、人間に生まれた意義を見出していくということです。このことを専門的な言葉で言えば、往生浄土の道を明らかにするということです。

金子みすゞは「いつも私がいい子なら、いつか通ってゆけるのよ」と、その門は見るためにあるのではなく、くぐるためにあるのだと言っています。言葉を換えれば、仏さまの世界に生まれていくということです。

さて、いただいた時間がまいりました。これまで見てきた金子みすゞの詩は、分別や知識に縛られているわれわれを解放していくような、自由で見えないものに気付いていく世界を詠ったものでした。そこには愛とやさしさ、人間の悲しさや慈しみが表れていますね。今日ご紹介したもの以外にも、金子みすゞにはあと五百三十近い詩がありあます。また本屋さんなどに行くことがありましたら、自由に見ていただきたいですね。今日はこれくらいにしまして、何かお尋ねになりたいことがありましたらお尋ねくださ い。

今日は一日、ご苦労さまでございました。

【参考文献】

『新装版　金子みすゞ全集』（ＪＵＬＡ出版局）より。

おもひで　その一

金子みすゞの詩を読んでいて、ふと、ある日の中村薫先生の姿が、その光景と音が、鮮明に思い出された。

それは仏跡参拝のため、中村先生と共にインドを訪れた際のこと。バスでの道中、とある公園で休憩を取ることになった。そこは現地で生活する子どもたちが走り回るような、地域に根ざした公園だった。旅の一行は各自、自分が撮った写真を確認したり、談笑にふけったりしていた。

そんな中、中村先生はクリケット（野球に似たスポーツ）をする少年たちへと近づいていく。そしてあろうことか、バッターボックスに立つ少年に向かってジェスチャーで「代わってくれ」とやっているではないか。少年は戸惑いながらもバットを先生に渡し、試合は再開された。が、バットはピッチャーの少年が投げる渾身のボールにかすることもなかった。結局、特に見せ場も無いまま、先生は三振された。

ところが、誰も先生からバットを取り返そうとしない。それどころか、ピッチャーズマウンドには複数の少年が駆け寄って列を作り、先生の方を見て自分を指さしながら「今度はオレが投げる」とボールを持ってアピールしていた。

やわらかい光が響き合っていた。言葉も通じない、作務衣《さむえ》という変わった服を着た外国のおじいちゃん（少年たちからすれば）に、ボールを投げたいと少年たちはうったえる。先生は日本語で少年たちに「もっと良い球を投げろ」と文句を言いながらも、みんなは笑顔で試合を続ける。

あの少年たちはきっと夕食の席で、家族に今日のクリケットの試合と、そこに紛れ込んだ見知らぬ外国のおじいちゃんとのコミュニケーション（やりとり）を笑顔で話したに違いない。

思えば、中村先生は法話や授業の際、童話や詩、時には映画や流行《はやり》の歌などを用いてよく話をされていた。先生ご自身がそれらを好んだということもあるとは思うが、そういった易しく分かりやすいものを題材に選ぶ背景には、子どもたちに向けられる温かい眼差し、そして子どもや若者など、後に生まれた者たちに大切なことを伝えたいという強い願いが存在したのだ。

そして、その願いにいのちを尽くしていかれた先生だからこそ、後に生まれた者たちのいのちを奪っていく戦争に対して、その戦争に子どもたちを近づけていくような大人や制度に対して、真正面から反対の声を挙げ戦っておられたのだ。

さて、中村薫先生がお浄土に還られた今日、あの時クリケットの試合を眺める若かりし学生だったわたしも子どもを持つ父親となった。それでも未だ、恩師を失った悲しみに留まり、先生から手渡された大切なものの重みに戸惑い、中村先生に頼りたいという思いが湧いてくるわたしである。しかし、感情と願いのこもった先生の言葉から、青少幼年教化活動にいそしむ姿から、そして何より、笑顔で、いのちをかけて念仏者の責任を果たしていかれた中村先生の生きざまから、一歩をふみ出す勇気をいただいたわたしでもある。そんな時にはふと、先生がお浄土からボールをわたしたちに投げているのではないかと想像するのである。

今改めて、仏教の大切さを教えてくださった恩師であり、そしてわたしを仏教の道へと導いてくださった善知識でもある中村薫先生を偲ぶ。　合掌

飯田真宏（同朋大学中村ゼミＯＢ）

『華厳経』と『大無量寿経』

二〇一四年十月十六日　第Ⅳ期　親鸞と現代

（於　同朋大学ＤＯプラザ閲蔵ホール）

出会いとは出会い続けること

みなさんこんにちは、ようこそお集まりくださいました。わたしも今期から特任教授になりましたので、もう御役御免かなと思っておりましたら、夏頃でしたか、やはり一回だけは出て来て欲しいということですので、引き受けさせていただきました。

本日の講題は少し難しいかもしれませんけれども「『華厳経《けごんぎょう》』と『大無量寿経《だいむりょうじゅきょう》』」ということで、親鸞聖人がこの『華厳経』をどのように受け止められたのか、そして『大無量寿経』をどのように受け取っていかれたのか、そのことを少しお話しさせていただきたいと思います。

わたしが教えを聞いている先生の一人に、宗正元《そうしょうげん》という先生がおられます。「出会いとは出会い続けることである」と何回も何回も出会い続けていくことが人間の出会いなのですよと、こうおっしゃいました。もちろん一期一会《いちごいちえ》という言葉もございますが、出会いとは出会い続けていくことであります。

こうして本講座も四回続きまして、わたしも東日本大震災、津波の後に、一年間だけは行けなかったのですが、今年十月十一日の日に三回目として伺わせていただき、現地の人と対話しました。一〇〇人ほど集まってくださいましたけれども、陸前高田《りくぜんたかた》、大船渡《おおふなと》のほうへ行ってまいりました。三年間毎年行っております。そうすると現地の方と少しずつお話ができるようになりました。

最初の時はお寺が津波で全部流れてしまい、ご門徒さんも五十軒ほどの家が全部消えてしまったとのことでした。みなさんは「奇跡の一本松」ってご存知ですかね、陸前高田は津波の後でも残っていた一本松があった場所です。もう七年ほどそこへ伺っており、全く海が見えなかったのですが、堤防の所に元々は松林が何千本とありました。それが津波で全部無くなってしまい一本だけ残ったのが「奇跡の一本松」でして、そこに行きました。そこで、佐々木さんというお寺の方と、初めてお会いした時はほとんど喋られませんでした。「大変ですね」という程度で帰ってまいりました。

そして、二年目。二回目に行きましたら、今度は事の次第を詳しく話してくださいました。今では語り部として広く語っておられますが、お父さんとお母さんがお寺で亡くなられたそうです。佐々木さんご本人も水に浸かって天井のギリギリの所まで入水し、潜って意識がなくなりそうになった時に、パッと光が差して外へ出ることができ、偶然にも畳のようなものに摑まり、助かったそうでした。

佐々木さんは大変なご苦労をされ、それで御本山で住職修習を受けられて、今度、御堂兼庫裏《くり》を建てられるとのことでした。それも現在地から一〇〇メートルくらい山を登った上の方に建てられました。これもまた余談ですけれども、大変だったのはここに気仙川《けせんがわ》という川が流れておりまして、川が氾濫して、江戸時代に一度お寺が流されているのです。それでこの場所は怖いからと高台に登ってお寺を造ったら、今度は火事で焼けてしまった。ここもまた不便であるということで、高台から下へ降りてこられて、そして東日本大震災の津波に遭われて三回もお寺を失ったという、そういうお寺でございました。

今年は「こうした人とお会いして、こういうことがあって、今こういうふうにしておりますよ」と、佐々木さんからたくさんお話しくださいました。何回も何回も出会うことによって、その人との対話が出てくるのだなと思いました。一回被災地に行くだけでは「お気の毒さま、さよなら」だと、それで終わりと感じます。そういう意味では、今年度はこの「親鸞と現代」の講座も第四期に入りましたけれども、地震や津波といったこういう災害を思い起こします。それからわたしどもが直面しているのは、やはり福島の原子力発電所の事故、これも大変なことです。

そのような中で先般陸前高田へ行きましたら、元々の陸前高田の街には家を建てないという方針が決まりましたので、近くの山を削り、そこに移るようです。こちらでいうと小牧市桃花台《とうかだい》のような団地を造っています。ダンプカーで土を運んでいくと、地ならしに十年かかるそうで、太いベルトコンベアを利用し、二十四時間ガラガラ土を出して、だいぶ平坦になってきましたが、十年の作業工程を二年でやるそうです。

そういう意味で復興という一面もありますが、もう一つきめ細かな復興支援というのは、まだまだこれからなのです。だから、わたしたちのこうした精神的なバックアップということがとても大事になっていきます。個々で復興支援をするというのは大変なことなのですけれども、こうして講座を続けていただくというのは、とても心強いことであると思っております。

『大無量寿経』の翻訳者

さて、これから本題に入らせていただきます。本日申し上げたいことは『華厳経』と『大無量寿経』がどう関係するのかということです。結論を最初に申し上げます。

みなさんのお持ちの『真宗聖典』等々に書かれている『無量寿経』が魏《ぎ》の時代の康《こう》僧鎧《そうがい》の翻訳であるということは、今学界では認められておりません。もうこれは考えられないわけです。たとえば鎌倉時代後期に生きた華厳宗の示観房凝然《じかんぼうぎょうねん》が『浄土法《じょうどほう》門源流章《もんげんるしょう》』の中で記しておりますが、『大無量寿経』すなわち『無量寿経』は「五存七欠」だと言われます。

これはみなさんも聞かれたことがありますかね。『大無量寿経』はこれまで十二回も翻訳されているのです。そのうち今現存するのが五本、名前だけ伝わっているけれども、今日まで現存せず不明な経典が七本あるのです。十二回翻訳されて七つが分からない。反対に五つ現存するといいましても、相互の関係に四百年程度の時間的開きがあります。長い時間をかけて一つの経典が翻訳されているわけです。

これはある時に誰かが翻訳したという話ではなく、長い時間をかけて思想的、もしくは社会的背景を踏まえた上で経典は翻訳されているのです。そのことを一つ頭に入れておいてください。いきなり一年、二年、五年、十年で翻訳されたのではなく、何百年もかけて一つの経典が翻訳されて成立するのです。

そのことを押さえまして、最初に申し上げたいのは『大無量寿経』です。親鸞聖人は『教行信証』の中で「それ、真実の教《きょう》を顕《あらわ》さば、すなわち『大《だい》無《む》量《りょう》寿《じゅ》経《きょう》』これなり」（「教巻」『聖典』一五二頁）と、顕らかにされています。

この『大無量寿経』の翻訳者、これが大事なことなのですが『真宗聖典』では「曹《そう》魏《ぎ》天竺三蔵康僧鎧訳す《てんじくさんぞうこうそうがいやく》」と、中国曹魏の時代（三世紀頃）、インド天竺の三蔵である康僧鎧訳とあります。しかし、その時代に翻訳した言葉ではない語句が教説の中に出てまいります。すなわち、私たちが読んでいる『大無量寿経』の経文には、四〇〇年代（五世紀頃）に翻訳された語句が出てくるのです。

たとえば、天親《てんじん》菩薩は「世親《せしん》」とも訳されています。天親と世親は同じ人物ですが、翻訳者によって呼び名が違ってくるのです。そうした背景によって大体いつ頃に成立したものなのかは推定できるのですが、そういう意味で今わたしたちが読んでいる

『大無量寿経』は康僧鎧の翻訳でないと言えるのです。しかし、今、真宗大谷派（東本願寺）の『真宗聖典』は、ずっと康僧鎧訳になっています。

これはたまたまなのですが、本山の宗務総長が同級生でありまして「これいい加減にもう変えたらどうか、康僧鎧ではないから」と申し上げたら、「大谷派宗憲《しゅうけん》」で既に決まっているものは変えられないそうです。ですので、一応、本山がこう示しているならば信仰上の問題に立ち入るため、それ以上わたしは言わないことにします。

もっと言えば、誰が翻訳しようが中身が大事ですからね。ただし、仏教学界の様々な研究者の中では今日これは考えられないということです。では、誰が翻訳者なのかということが課題ですね。それを少しずつこれから申し上げていきます。

『華厳経』の翻訳者

さて、そのような中で『大無量寿経』は康僧鎧訳ではないとするならば、はたして誰なのでしょうか。結論を先取りするならば『華厳経』（六十巻本）を翻訳した仏陀《ぶっだ》跋陀羅《ばっだら》（仏駄跋陀羅とも呼称）という人物がいます。この人物が恐らく『大無量寿経』を翻訳したというのが、私の結論であります。そこまで今日は話を持っていきたいですね。

そうすると『華厳経』の中にも『大無量寿経』の教説が流入しますし、同時に『大無量寿経』の中にも『華厳経』の教説が入り込んでも不思議ではないのです。そこで、これから具体的に『華厳経』そのものの翻訳を見ていきたいと思います。

『華厳経』は大きく分けて三本の漢訳経典があります。これはもう関心がない方はどうでもいいことでしょうが、この『華厳経』には三種類あるということだけ覚えておいてください。まず六十巻本の「六十華厳」がありますが、これは七処《しょ》八会《え》、三十四品《ほん》あります。場面が七つあり、幕が八回あるというのです。普光法堂会《ふこうほうどうえ》といった同じ場所が二回出てきます。「品《ほん》」というのは、一章と二章と捉えていいですね。つまり、三十四品とは三十四章ということです。

そして、翻訳された時代と人物ですが、東晋《とうしん》の仏陀跋陀羅ということで「旧訳《くやく》六十華厳」「晋訳《しんやく》六十華厳」と略称されます。四一八年~四二〇年頃に翻訳され、日本では天平《てんぴょう》八年（七三六年）に伝来したとされます。これがいわゆる「六十華厳」です。

日本仏教ではおおむねこの「六十華厳」が用いられます。

その後、新訳の「八十華厳」が成立します。これが七処九会、三十九品でありまして、少し増幅されます。唐の実叉難陀《じっしゃなんだ》という人物が翻訳しまして「新訳八十華厳」「唐訳八十華厳」と略称されます。六九五年〜六九九年頃に翻訳され、日本には「六十華厳」と同じく天平八年（七三六年）に伝来されました。「六十華厳」と「八十華厳」が翻訳された時間差は、およそ二八〇年あると想像されます。ところが、日本に伝来されたのは同じ年なのです。

もう一つ、この『華厳経』の「入法界品《にゅうほっかいぼん》」には善財童子が五十三人の善知識をたずねる旅が出てまいります。弥次《やじ》さん喜多《きた》さんの東海道五十三次、十返舎一九《じっぺんしゃいっく》の『東《とう》海道中膝栗毛《かいどうちゅうひざくりげ》』のモデルになったのが「入法界品」です。そして「入法界品」に限定して翻訳された唐の般若《はんにゃ》三蔵の「貞元経《じょうげん》四十華厳」もあります。七九五年から七九八年に翻訳され、日本には大同《だいどう》元年（八〇六年）に伝来されました。このあたりの歴史から、一つの経典が長い時間をかけて多くの人によって伝えられてきたということがわかります。

この点、これから尋ねていきますが「六十華厳」よりも「八十華厳」の方が中国浄土教との関係が深くなっていきます。ですから先行する「六十華厳」は、どちらかと言えば、経文を厳密に原理的に説かれていきますが、後の「八十華厳」では、それが膨張して説かれていくように感じます。

本日初めて『華厳経』の名前を聴く方もおられるかもしれませんね。御本尊は毘盧《びる》遮那《しゃな》仏です。盧遮那《るしゃな》仏とも言います。または大日如来とも呼ばれます。そしてこの経典では普賢《ふげん》・文殊《もんじゅ》の両菩薩によって蓮華蔵世界が説かれていきます。蓮華蔵世界は宇宙、曼荼羅《まんだら》としても表されます。

そして興味深い点ですが「八十華厳」と「四十華厳」の後半部分では西方極楽の阿弥陀仏にまみえる浄土も説かれてまいります。つまり『華厳経』は大乗菩薩道、どちらかといえば聖道自力《しょうどうじりき》の教えです。しかし、後半部分に至ると阿弥陀仏や西方極楽といった言葉がたくさん出てまいります。それは『華厳経』の後半部分を翻訳した時代社会がそういう言葉や概念を生み出したと推察されます。

こうした点をまず押さえておいていただきまして、これから『大無量寿経』の翻訳との関係性について尋ねていきます。少しややこしいですが、要するに『華厳経』は三本訳されたということです。

現存する五つの『無量寿経』

では『大無量寿経』はどうかということで「五存七欠」の五つを見ていきます。

一つは後漢《ごかん》の時代に支婁迦讖《しるかせん》が翻訳した経典です。これはとても古いものです。紀元一四七年から一八六年頃ですから、梵本が成立してすぐに中国で翻訳されたものです。これが『仏説《ぶっせつ》無《む》量《りょう》清《しょう》浄《じょう》平《びょう》等《どう》覚《かく》経《きょう》』四巻です。通称『平等覚経』と言い、古訳時代に相当する後漢の時代に翻訳されたものですから「漢訳」と略称されます。この経典を親鸞聖人もちゃんと読んでおられますね。

二番目にあたるのが、呉《ご》の時代に支謙《しけん》という人物が翻訳しました。二二三年から二二八年頃です。『仏説《ぶっせつ》阿《あ》弥《み》陀《だ》三《さん》耶《や》三《さん》仏《ぶつ》薩《さ》楼《る》仏《ぶつ》壇《だん》過《か》度《ど》人《にん》道《どう》経《きょう》』二巻。これを『人道経』とも言いますが、親鸞聖人は『教行信証』の中で経典名を丁寧に記しております、長い題名ですけれども。または、『大阿弥陀経』、もしくは「呉訳」とも略称されます。

これも中国仏教・日本仏教を学ぶ人には常識的ですが、仏教用語の発音はほとんど呉音です。学部の学生には最初の講義で申し上げることです。漢字を発音するのに呉音・漢音・唐音という、こういう形があるわけですね。漢和辞典で調べますと、ちゃんとそのように発音が出てまいります。

たとえば「生死」。これを呉音で読むと「しょうじ」、漢音で読むと「せいし」ですね。発音が少し違うのです。あるいは経典の「経」は「きょう」。これは呉音です。漢音では「けい」と言い、経済などの「けい」と発音します。だから仏教語が古臭いといわれるのは、ほとんど呉音だからです。『阿弥陀経』も漢音で読むものもありますけれども、だいたいは呉音で発音しておりますから、仏教用語を読んでいく場合は、おおむね呉音で発音していくということですね。話を戻しますと、呉の時代に翻訳されたのが支謙の訳です。

それからその後、これが問題です。今回主題となる三番目の康僧鎧《こうそうがい》の翻訳です。曹魏の時代で二五二年とあります。この頃に翻訳されたというのがこれまでの常識ですが、わたしはこれを東晋《とうしん》の仏陀跋陀羅と劉宋《りゅうそう》の宝雲による共同翻訳であり、四二一年頃に翻訳がなされたと推定します。

『無量寿経』二巻、親鸞聖人の読み方では『大無量寿経』とも呼ばれますが、これを仮に「魏訳」と略称します。恐らく曹魏の翻訳というのは嘘みたいな話で、信仰的に読んでいくのはいいのですが、学界的に語句の解釈をしていくと、これは到底考えられないわけです。

それから四番目に菩提流志《ぼだいるし》が翻訳したものです。唐の時代である七〇六年から七一三年に翻訳されたとされる『無量寿如来会《むりょうじゅにょらいえ》』です。『大宝積経《だいほうしゃくきょう》』の中に収録されます。これは「唐訳」と略称されます。

それから最後の第五番目が法賢《ほっけん》の翻訳です。趙宋《ちょうそう》時代の九八〇年です。『仏説大《ぶっせつだい》乗無量寿荘厳経《じょうむりょうじゅしょうごんぎょう》』三巻。『荘厳経』とも言い、そして「宋訳」と略称します。

以上、一応残っているのが五つですけれども、この中で特に康僧鎧訳、三番目が怪しいということから今日は話を進めていきます。なぜそれが怪しいかということを、これから見ていくのです。それはなぜかというと「六十華厳」「八十華厳」といった『華厳経』の中に『大無量寿経』の思想に極めて似たような教説が出てくるのです。

菩提心—仏に成る道を学ぶ—

『華厳経』(六十巻本)に法幢《ほうどう》菩薩の偈文があります。菩薩の偈文です。どういうことかと言いますと、

無量の生死の中に未だかつて道心を発《おこ》さざるも、若《も》し如来を聞見せば、仏の菩提を具足せん。

(『華厳経』十四巻「兜率天宮菩薩雲集讃仏品」『大正新脩大蔵経』〈以下『大正』と略す〉九・四八七c)

と出てまいります。

実は、法然上人が菩提心は殊更いらないと、こうおっしゃいました。しかし否定しているのではなくて、法然上人にとっては自力の菩提心というのはありませんと、こういうわけなのです。『選択本願念仏集《せんじゃくほんがんねんぶつしゅう》』でそういうことが出てきましたので、目の敵にしたのが華厳宗の栂尾《とがのお》の明恵《みょうえ》上人です。

つまり華厳教学を学んでいますので、菩薩の菩提心。真宗で言うならば「念仏もう

さんとおもいたつこころのおこるとき」(『歎異抄』第一条、『聖典』六二六頁)ということです。菩提心をわたし自身が起こすのか、如来の側から起こさせるのかに違いがあります。法然以降、その菩提心を否定しているかのように説かれますが、それはともかく『華厳経』の立場では菩提心が大事なのです。

たとえば「初発心時便成正覚《しょほっしんじべんじょうしょうがく》」(『華厳経』八巻「梵行品」『大正』九・四四九c)と「初発心」が言われます。これが『華厳経』の基本です。「入法界品」の第五番目に登場する善知識「良医弥伽《ろういみか》」がいます。「入法界品」に出てくる善知識、すなわち先生として様々な職業の人がいます。お医者さん、それから船師、王様や遊女まで、ありとあらゆる職業の人たちが善知識として登場します。

その中の一人が、良医弥伽、お医者さんです。この人が師子座に座しているところに、善財がやって来るのです。師子座の上の方から見下ろして「あなたは菩提心を起こしたというけれども、本当ですか」と、こう確かめるのです。そうしたら、善財が「然《しか》り」と言い、「はい。起こしました」と言うのです。そうしたら良医弥伽はその師子座から下りて来て、善財童子に合掌礼拝して五体投地して迎えます。つまり、先生である良医弥伽が、弟子である善財童子に頭を下げていく世界なのです。それは何を描こうとしているかと申し上げると「思い立つ心、初心」が大事だと説くのです。それ以外の問題は、経験、キャリアの違いだけです。

わたしも最近、周囲に言われて少し反省しているのですけれども、安田理深《やすだりじん》という先生が仏教を学ぶ基本は何かということで、一言こうおっしゃいました。「インド学をはじめ伝来仏教は、仏教について学んでいる」と。仏教について学ぶ。それは大事なことである。確かにそれを否定はしないが、わたしたちにとって大事なことは、安田先生いわく「仏に成る道を学ぶことが大事である」と。仏に成ること、つまり、さとりを開くこと。これが大事なのですね。

客観的に仏陀がどこに居たとか、仏陀のお骨があるからとか、そういう様々な仏陀についての仏教研究は、それはそれで大事なのですが、仏に成る道そのものを学ぶことも大事であると。そういうことを安田先生はおっしゃったのです。

そのポイントとして極めて重要な点がこの文意です。「無量の生死の中に未だかつて道心を発《おこ》さざる……」と。つまり菩提心を起こさないということです。「若し如来を聞見せば」とありますから、すなわち「如来を聞き見る」ということ。もう少し丁寧に言いますと「聞見」とは、南無阿弥陀仏の名号の謂《いわ》れを聞く、尋ねていくということなのです。そうすると非常に真宗的な感じがしませんかね。名号、南無阿弥陀仏の六字の謂れを聞くということと、たとえそれが自己の上において道心が起こせずとも、仏の名を聞見していく。そのように『華厳経』では説かれていますから、非常に浄土教的な色彩が出てまいります。

それから『華厳経』(八十巻本)にある真実慧菩薩の偈文には、

むしろ地獄の苦を受け、諸の仏名を聞くことを得、無量の楽を受けずして、仏名を聞かざるなり。

(『華厳経』十六巻「須弥頂上偈讃品」『大正』一〇・八三a)

とあり、仏名を聞くこと。菩提心よりもこれが大事だと説かれます。それが無ければ「無量の楽を受けずして、仏名を聞かざるなり」とありますから、仏名を聞かないことになってしまう。だからちゃんと仏の名である六字の謂れを聞いていく、そのことが大事ですよと。こういう言い方をこの「八十華厳」でも同じように説いていますね。そうすると『華厳経』の中に、浄土教的色彩が非常に出てきていることが窺《うかが》えます。特にこの経典の後半部分です。

そして同時に『大無量寿経』の中には、どのような言葉が出てくるかということを、尋ねてみたいと思います。たとえば、

みな普賢大士《ふげんだいじ》の徳に遵《したが》って、もろもろの菩薩の無量の行願《ぎょうがん》を具し……

（『大無量寿経』上巻、『聖典』一二頁）

とあります。「普賢大士の徳」であると。そして、菩薩の「行願」であると言われます。行が願に依る。普賢菩薩というのは『華厳経』の説主の一人です。大慈大悲を説く普賢菩薩です。その普賢の徳にしたがうと、法蔵菩薩の願心がそこに出てきているわけです。『大無量寿経』そのものの説主は法蔵菩薩ですけれども、四十八願の願行がすべて普賢の徳にしたがっていると言われます。本願の背景には普賢があるのだと

いうのです。

また、『大無量寿経』では、

諸根《しょこん》・智慧《ちえ》、広普《こうふ》寂定《じゃくじょう》にして深く菩薩の法蔵《ほうぞう》に入る。仏の華厳三昧《けごんざんまい》を得《え》、一切の経典を宣暢《せんちょう》し演説す。

（『大無量寿経』上巻、『聖典』五頁）

と説かれています。ここに「華厳三昧」に入るということが出てきます。四十八願は、それはそれでいいのですけれども、それを成り立たしめる背景として「普賢の徳」にしたがって、そして「華厳三昧」を得る。そういう言葉が『大無量寿経』には出てまいります。わたしが調べた範囲では「華厳三昧」など、こうした言葉は他の異訳経典にはあまり出てこないように思われます。これは今の時代ですから、データベースで調べれば、検索できると思います。どなたか時間があればまた調べてみてください。

『華厳経』と『大無量寿経』を翻訳したのは同じ人物？

『大無量寿経』では、

あらゆる衆生、その名号《みょうごう》を聞きて、信心歓喜《しんじんかんぎ》せんこと、乃至一念《ないしいちねん》せん。

（『大無量寿経』下巻、『聖典』四四頁）

と出てまいります。実はこれは『華厳経』では「この法を聞きて、歓喜し……」と言い、これと似た表現の経文がございます。ちょっと詳しく申し上げます。

親鸞聖人の『教行信証』にもたくさんそのことが引用してありますけれども、『華厳経』（六十巻本）「入法界品」の一番最後の偈頌の文です。それが「信巻」では、

この法を聞きて、信心を歓喜《かんぎ》して疑《うたが》いなき者は、速やかに無上道を成らん、もろもろの如来と等し……

（「信巻」『聖典』二三〇頁）

という言葉で出てくるのです。親鸞聖人は『和讃』にも引用しておられ、『華厳経』の言葉として紹介されています。親鸞聖人はほぼ「四十華厳」は引用されておりませんし、「六十華厳」と「八十華厳」を単に比較検討して見ているのではありません。達意的な読み方、このこと一つが大事であるということで引用しておられるのです。

つまり『華厳経』(六十巻本)の元々の漢文では、

聞此法歓喜　信心無疑者　速成無上道　与諸如来等

(『華厳経』六十巻「入法界品」『大正』九・七八八ａｂ)

とあり、これを普通に書き下すならば、

この法を聞きて歓喜し、信心に疑い無き者は、速やかに無上道を成じ、諸の如来と等し。

と読めます。これを親鸞聖人は何度も引用されて読み替えておられます。

どう読み替えているかというと、「信巻」では「この法を聞きて、信心を歓喜して疑い無き者は」とあります。通常『華厳経』では「この法を聞きて歓喜し、信心に疑い無き者は」と、このように文が切れるのです。けれども、親鸞聖人はそのように文を切らず、一つの文脈として接続しておられる。これは親鸞聖人の独特の読み方です。他の仏教思想家などは、誰もそう読んでないけれど、親鸞聖人はそういう読み方をされているわけです。

そのような中で、先ほどの『大無量寿経』の経文と重ね合わすと「あらゆる衆生、その名号を聞きて、信心歓喜せんこと、乃至一念せん」という。こうした「信心歓喜」の言葉をめぐり、『大無量寿経』と『華厳経』の経文を重ね合わせて、親鸞聖人は『教行信証』で使っておられることが確認できます。

『大無量寿経』の次の経文を見ていきます。

たとい我、仏を得んに、十方世界の無量の諸仏、ことごとく咨嗟《ししゃ》して、我《わ》が名を称せずんば、正覚を取らじ。

（『大無量寿経』上巻、『聖典』一八頁）

これは第十七願文ですね。それから、

法を聞きて能《よ》く忘れず、見て敬《うやま》い得て大きに慶《よろこ》べば、すなわち我《わ》が善《よ》き親友《しんぬ》なり。このゆえに当《まさ》に意《こころ》を発《おこ》すべし。

（『大無量寿経』下巻、『聖典』五〇～五一頁）

と説かれ、これが「入法界品」に登場する「善知識」。『大無量寿経』では「すなわち我が善き親友」という形で出てまいります。それから、さらに尋ねていきますと、

阿難《あなん》、もしかの国の人天、この樹《き》を見るもの、三法忍《さんぼうにん》を得《う》。一つには音響忍《おんこうにん》、二つには柔順忍《にゅうじゅんにん》、三つには無生法忍《むしょうぼうにん》なり。

（『大無量寿経』上巻、『聖典』三五～三六頁）

と説かれます。この「三法忍」は、実は『華厳経』の「十忍」と同じ文意です。十忍

のうちの始めの三つの三忍を『大無量寿経』ではこう説かれている。

こうしてみますと、わたしが恣意的に結び付けて、とやかく言っているのではなく、長い仏教の歴史の中で非常によく似た言葉が多く出てきている点として、『大無量寿経』の翻訳者が康僧鎧であるとする説はあり得ないのです。これまで述べたように教説の相互の関係を並べて見てきましたが、わたしは『大無量寿経』の翻訳者が一体誰なのかということの結論は、とりあえず今の段階では、六十巻本の『華厳経』を翻訳した仏陀跋陀羅が一番近いものと推定しております。よって、この『大無量寿経』と『華厳経』（六十巻本）の両者が極めて近い翻訳者であると、わたしはそう思っています。

これらの文献学的根拠としては、様々な経録や僧伝が挙げられます。また、訳語や訳風、さらには『大無量寿経』の流布についても注意すべき点がございます。こういった点を踏まえた上で、既に藤田《ふじた》宏達《こうたつ》先生が『大無量寿経』の翻訳者は康僧鎧ではなく、東晋の仏陀跋陀羅と劉宋の宝雲との共訳だという説を述べておられますが、わたしもそれが一番妥当ではないかと考えています。そのことの確認作業のため、これから少し見てまいります。

『歴代三宝紀《れきだいさんぼうき》』で明かされる「康僧鎧」の項目を見てみますと「無量寿経二巻」とあり、そして、

無量寿経二巻　第二訳なり。竺道祖晋世の雑録及び宝唱録に見ゆ。世高の出だすとは、小しき異なり。

（『歴代三宝紀』五巻、『大正』四九・五六b）

と小さな字で書いてあります。この文中に出てまいります「宝唱録」あるいは「雑録」というのは非常に信頼性の低い経録になっております。これらは詳しくまた調べていきますが、この「無量寿経二巻」が「康僧鎧」の項目に出てくることから、長らく日本の凝然《ぎょうねん》に至る時まで、五存七欠の中の魏訳の『無量寿経』だと断定されてきました。今わたしたちが読んでいる『大無量寿経』はそのような歴史的な背景があり、そう伝わっております。

その他の資料も少し見ていきます。『出三蔵記集《しゅつさんぞうきしゅう》』二巻の「新集経論録」の「仏

駄跋陀羅」の項目では、

新無量寿経二巻　永初二年、道場において出だす。

（『出三蔵記集』二巻、『大正』五五・一一c）

と、こう出てまいります。「永初二年」というのが四二一年です。四二一年に「新無量寿経」を翻訳していると『出三蔵記集』には出てくるのです。『出三蔵記集』は一応信頼できるものかと思いますから、この説を採ります。「仏駄跋陀羅」の項目にそれが出てまいります。永初二年に「新無量寿経」を翻訳した。同時に「宝雲」の項目にも、

新無量寿経二巻　宋の永初二年、道場寺において出だす。一録に云う、六合山寺において出だす。

（『出三蔵記集』二巻、『大正』五五・一二a）

と、こう出ております。「新無量寿経」が四二一年に訳されているといいますから、最終的に申し上げると、仏陀跋陀羅と宝雲の共訳が一番的確でなかろうかというのがわたしの結論です。

興味深いのが、同時期に同じ道場寺という所ですが、たとえば賢首《げんじゅ》大師法蔵の『探玄記《たんげんき》』などを参照しますと、永初二年（四二一年）に『華厳経』を梵本と照合して再校したと伝えているのです。

少し細かい話ですけれども、仏陀跋陀羅が『華厳経』（六十巻本）を再校している、つまり翻訳し直しているのです。そうすると、同じ場所で『華厳経』と『大無量寿経』を翻訳していたと見ることも可能かと思うのです。宝雲との共訳としてということです。この『出三蔵記集』の記述に拠れば、時代的にも場所からしても、この二人で共訳して翻訳したと見るのが一番的確だろうと思うわけです。

その他に訳語や訳風の観点としまして、たとえば「菩薩」という単語の翻訳ですと古い『無量寿経』では「扶薩《ふさつ》」と訳されている。あるいは「開士《かいし》」と翻訳されているわけです。菩薩以外にも、こうした『無量寿経』をめぐる「新経」（鳩摩羅什《くまらじゅう》以後の翻訳）と「旧経」（鳩摩羅什以前の翻訳）の訳語・訳風の問題があります。
そうすると、やはり康僧鎧ではなく、仏陀跋陀羅の方に非常に似ているという単語が、菩薩以外にも十項目ほど『大無量寿経』には出てまいります。その点は今日紹介出来ませんでしたが、そのような翻訳事情もあったと思うわけです。

『教行信証』における『涅槃経』と『華厳経』の連引の意義

さて、たとえば親鸞聖人は、

安楽《あんらく》無量の大菩薩《だいぼさつ》
一生補処《いっしょうふしょ》にいたるなり
普賢《ふげん》の徳に帰《き》してこそ
穢国《えこく》にかならず化《け》するなれ
（『浄土和讃』『聖典』四八〇頁）

と『浄土和讃』でおっしゃっております。この「普賢の徳」。これは『大無量寿経』

と親鸞聖人の『和讃』の中に多く出てきます。それから、

還相《げんそう》の回向《えこう》ととくことは
利他《りた》教化《きょうけ》の果をえしめ
すなわち諸有《しょう》に回入《えにゅう》して
普賢《ふげん》の徳を修《しゅ》するなり

（『高僧和讃』『聖典』四九二頁）

と説かれています。つまり、親鸞聖人にとって『華厳経』は還相回向《げんそうえこう》として捉えられています。還相回向としてです。一方、『涅槃経《ねはんぎょう》』は往相回向《おうそうえこう》です。これを親鸞聖人は的確に押さえておられます。『教行信証』の中に、三箇所にわたって『大無量寿経』を引用したあと、前に『涅槃経』を引用して、後に『華厳経』を引用している。通常の説で言いますと『華厳経』が前です。

先日、わたしの後輩である大谷大学教授の織田顕祐《おだあきひろ》さんが「中国の法蔵は『華厳経』の成道を二七日として説いたと言われるが、その論拠がどこにあるのですか」と

言われまして、そう言われると確固たる論拠を持ち合わせておりませんが、ただ法蔵の『探玄記』には出てまいりますね。いわゆる『華厳経』は「仏陀成道二七日」という説、すなわち最初に説かれたとあります。

『涅槃経』は仏陀のニルヴァーナ、仏陀最後の涅槃がメインになっています。仏を時系列的に捉えるならば、『華厳経』から『涅槃経』へと展開されます。ところが親鸞聖人は『涅槃経』から『華厳経』へと見られた。それも『大無量寿経』を軸として『涅槃経』『華厳経』を連続引用（連引）しているのです。これも一つの発想、考え方で申しますと、大変難しい言葉で恐縮ですけれども「従果向因《じゅうかこういん》」と言えます。

わたしたちの歴史的概念でいうと通常「従因向果《じゅういんこうか》」です。ところが親鸞聖人はどこまでも従果向因、すなわち果から因に向かっていく。今ここに南無阿弥陀仏がある。それから七高僧がおられ、ずっと遡り考えていかれた。歴史的時間論として因から果に向かうのではなく、果から出発している。だから、本願から出発していると言っていいのですが、親鸞聖人の場合は『涅槃経』です。親鸞聖人の教えのメインは『涅槃経』でしょうね。

すべての人が救われるとは「わたし一人」のため

少し余談になりますが、『涅槃経』には『観無量寿経』の裏側として説かれてくる部分があります。どういうことかと申しますと、『観無量寿経』で説かれる「王舎城《おうしゃじょう》の悲劇」は「韋提希《いだいけ》」の救いが主題となり「阿闍世《あじゃせ》」の救いは説かれておりません。どこまでも韋提希が凡夫として、韋提希の救いがずっと説かれております。

一方、『涅槃経』になると今度は阿闍世の救いが説かれてまいります。それを親鸞聖人は「信巻」でたくさん引用しておられますね。「現病品《げんびょうほん》」から「梵行品《ぼんぎょうほん》」にかけて、ずっと長く引用しておられます。そこに六師外道が登場します。阿闍世の体中に瘡《かさ》ができて苦しんでいる時に、自分が殺されそうになって牢獄に閉じ込められてしまった韋提希が、今度は母親として看病する。瘡から悪臭が放たれてみなが逃げてしまう、病気になった阿闍世王を臣下は「もうどうでもいいよ」と見捨てるような状況です。そこに、六師外道の人がいろんな言い訳と弁解を述べていくのですが、韋提希夫人は阿闍世の身体を冷やしてあげたり手を取ったり、薬を塗って介護をしています。

そうすると『涅槃経』では、阿闍世が「わたしの病は心なのです」と母に明かし、

「体が病気になってはいるが、わたしの病気の根本的原因は心なのです」と告白する。「父である頻婆娑羅《びんばしゃら》王を殺してしまった悪逆という現実を受け止めて、今わたしは苦しんでいるのです」と、こういうわけですよね。そこに六師外道が来て「殺したのは阿闍世王ではない。刀が人を殺したのですから、刀に責任があるのですよ」などと主張していきます。

最後に耆婆《ぎば》が現れます。そして「慚《ざん》は人に羞《は》ず、愧《き》は天に羞ず」と言って、慚愧が出てくるのですね。「無慚愧は名づけて『人』とせず、名づけて『畜生』とす」と、こう『涅槃経』では説かれており、そして仏陀釈尊は「阿闍世王のために涅槃に入らず」と説き明かされます。ここが浄土教というか、仏教の面白いところであり、意義深いお言葉だと思います。

すべての人を救うといった大前提の中で「あなた一人」と言うのです。この相矛盾することを一つに押さえている。「設我得仏……不取正覚」と、如来の本願は「すべての人を救う、一切衆生を救うのですよ」と言い、同時に韋提希一人を救う。また阿闍世一人を捨ててはおけない。だから阿闍世のために涅槃に入らない。これは大事なことじゃないですか。「みんな救ってもらえるそうだからありがたい話ですね」と言えば、寝ぼけた話でしょ。みんな救ってくださるってことは尊いことですが、みんな救われるという如来の本願は、同時にその目当てがあなた一人。「汝一人」でしょ。ここが、わたしは仏教の一番大事なポイントになってくると思うのです。

そういう意味で『涅槃経』は往相の証果、『華厳経』は還相の普賢行をあらわすものと見ているというのが、『涅槃経』『華厳経』の親鸞聖人の一つの見方です。これは少し理屈っぽいですが、覚えておいてください。従果向因の視点から『涅槃経』『華厳経』という順序で連引する方法を採っている。従果向因、果から因に向かう。今ここだというのです。そこから出発していく。

そしてもう一つ申し述べますと、『涅槃経』をもって仏陀釈尊の一代に帰するところとし、『華厳経』はそれを助けるという見方をしていると捉えてよいだろうと言われます。この説は『大谷大学研究年報』第二輯で安井《やすい》廣度《こうど》先生が論じています。安井廣度先生のご論攷ですから、あくまでそういう説も考えられるということでありますね。

こうした『涅槃経』と『華厳経』の連引といった思想背景もあり、「普賢の徳」と『華厳経』で説かれますが、それは『大無量寿経』の中にも見受けられますし、そして親鸞聖人は『和讃』などに取り上げているということです。

先ほど、

この法を聞きて歓喜し、信心に疑い無き者は、速やかに無上道を成じ、諸の如来と等し。

（『華厳経』六十巻、『大正』九・七八八b）

とありましたが、これが『華厳経』（六十巻本）の「入法界品」の最後に出てくる偈文です。それに対して親鸞聖人は、先ほども申したように、

『華厳経』（入法界品・晋訳）に言《のたま》わく、この法を聞きて、信心を歓喜《かんぎ》して疑《うたが》いなき者は、速やかに無上道を成らん、もろもろの如来と等し、となり。

（「信巻」『聖典』二三〇頁）

と引き「信巻」の中でそのように読み替えている。その読み替えている根本が、実は親鸞聖人の中には『大無量寿経』にありまして、

あらゆる衆生、その名号《みょうごう》を聞きて、信心歓喜《しんじんかんぎ》せんこと、乃至一念《ないしいちねん》せん。

（『大無量寿経』下巻、『聖典』四四頁）

の部分を同じく「信巻」（『聖典』二二二頁）に引いておられます。『華厳経』の経文を本願文に繋げていく。そういうことが親鸞聖人の見方であります。

今日は、少しわたしが今課題にしていることを申し上げたので、ちょっと「親鸞と現代」というテーマに沿わなかったかもしれません。もちろん、まだまだ厳密に調べなくてはならない部分がたくさんあります。一つの学問の喜びとして、こういうものを丁寧に調べていく、発見していくことが大事であります。

そして、今日申し上げたかったことは、『大無量寿経』の翻訳者が康僧鎧であるとは考えられないということを問題提起させていただきました。みなさんの方からも

色々とお聞かせ願いたいと思います。質疑応答の時間があるそうですので、これでお話を終わらせていただきます。

質疑応答

Q1

『大無量寿経』で、海の水を全部掻《か》き出すと宝物が出てきたという場面があったと記憶しているのですが、これにはどういった意味があるのでしょうか。

中村

あ、そうですか。わたしはちょっとそれに気づかなかったです。本日はそこまで細かく読んでいなかった。ただ、経典には大海の水を柄杓で全部すくうという、無茶苦茶スケールの大きい話が出てまいりますね。

それといわゆる「一劫《こう》」の問題ですね。四十里四方の石を天女が二百年に一度下りてきて、羽衣で石をサッとなでる。それで石が磨り減って無くなる。それにかかった時間が一劫。つまり仏教、たとえば『華厳経』では何十億百千那由多《なゆた》とか長い時間論のスパンがあるのですよ。そう捉えているのです。

わたしたちの時代観念っていうと一年、二年、十年、百年、千年とか。せいぜい四千年でしょうか。ですから、科学的な思考の話など、いわゆる火山の爆発でも何年に一回とか言われます。富士山が江戸時代に噴火して、その後三百年噴火していないから、いつするのかと。そういったわたしたちが計算する時間論は短いですよね。仏教はとても長いですから、そういう形で経典には雄大に説かれているのです。海水の中にある宝物の話は即答できず、すみません。

Q2　今の宝物の話ですが、『大無量寿経』上巻の「八功徳水」のところに、そのような譬喩があります。このことかなと思い、この文章の後半部分を読んでみると、八つの功徳の水というものが、いわゆるわたしたち凡夫に対して、これらの功徳を与えてくれるといった内容に読めるので、もしかしたら凡夫ということに視点を置いた描写になっているのかと思いました。

中村　『大無量寿経』上巻に出てくるってことは、如来の問題の話ですよね。下巻に至ると衆生の問題の話になりますが、ここでの文脈は如来の言葉ですかね。面白いですね。

Q3

先生ありがとうございました。先生の課題をいつも聞かせていただいて、改めて今日勉強させていただきました。本日お話をうかがって『無量寿経』について思いましたのが、世親の『浄土論』は「無量寿経優婆提舎願生偈」という形をとり、「二十九種荘厳功徳」と説かれた点です。しかし、『無量寿経』をいくら読んでも「二十九種荘厳功徳」という概念は出てこないです。一方で、『浄土論』の解義分にも蓮華蔵世界の語句が出てきます。二十九種荘厳功徳もそうですが、こうした荘厳世界も、もしかすると『華厳経』の背景があるのかと想像されます。いずれにせよインドや中国の卓越した仏教者がいて、そういった歴史的な流れを経たうえで『大無量寿経』の思想が親鸞聖人に受容されていったのだと思えました。

中村

なるほどね、ありがとうございます。これは安田理深という先生がおっしゃっていたのですが「展開する本願」ということ。本願は展開していくのですと。時代社会の歴史の中で展開していく。開かれていく、次から次へと。だから二十四願、それが四十八願、あるいは三十六願、本願文が時代社会の要求によって常に展開していく。そのため、本願は固定してないのです。本願は展開していくという見方ですね。

それに対して大谷派の藤元正樹《ふじもとまさき》という先生は「呼応する本願」と。本願は衆生と呼応していくと。そこに本願がある。真理が真理のままであるならば、真理は真理で終わりなのです。仏陀の真理が衆生と呼応することによって真理が衆生の中に開いていくという考え方ですから、当然その願文も展開していきます。そういう中で、わたしもちょっと思い込み、恣意的に出発していますので、『華厳経』を勉強していて、仏陀跋陀羅訳と『大無量寿経』の翻訳者が同じである。非常に近いということで、『大無量寿経』と『華厳経』の成立背景や訳語が非常に似ている。

今日は申しませんでしたけれども、『大無量寿経』下巻ですと弥勒菩薩が出てくるのです。『華厳経』（六十巻本）では、

その時に弥勒、善財に告げて言わく。汝往きて文殊師利に詣で、諸の法門と智慧の境界と普賢の所行とを問うべし。彼当に汝が為に分別して演説すべし。

（『華厳経』五十八巻「入法界品」『大正』九・七七三b）

と登場しまして、弥勒菩薩が善財童子に対して、文殊菩薩そして最後に普賢菩薩に帰することと、その指南役をするのです。

弥勒は未来仏です。五十六億七千万年後にましますまた未来仏です。そうすると過去未来現在がずっと一貫してくる。法蔵菩薩は過去七仏からずっと来ている。それがいわゆる、応化身として現れる。

仏陀が単なる天才的な人物でとどまるならば、わたしたちに関係なく意味がないわけですが、真理の方から応化される。衆生を済度するために如来が仏陀となって現れたのだという考え方です。わたしたちと決して無関係に如来の本願はあるわけではない。本願はどこかにあって、真理が真理のまま歩んでいくことはあり得ない。衆生からの呼応としてあり得るのだという考え方ですね。

そうするとわたしたちが経典を読むという場合には、わたしたちの機の問題、機の深信と法の深信が絶えず交錯しあっていく。それが大事ではないかということを思います。ですから、世親の『浄土論』とそれから曇鸞の『浄土論註』の中に『大無量寿経』が入りこんで、それを通して親鸞がそれを読み取ったという問題ですね。そこはわたしもまだよくわかりませんが、少なくとも世親は『浄土論』の作者でありますと同時に、瑜伽《ゆが》行唯識の行者でもありますしね。『十地経論』も撰述しています。アビダルマの仏教を長い間学んで、『浄土論』というのを書いておられます。そうした背景をふまえて、もう少し考えてみてみたいと思います。ありがとうございます。

今日は何か研究発表みたいになってしまいました。すみませんね。とても勉強させていただきました。どんなことでもいいです、気楽にもうちょっと易しくお話ししましょうかね。

Q4

ありがとうございました。少しまた学術的な質問になってしまいすみません。『無量寿経』を康僧鎧が翻訳したということが『歴代三宝紀』に載っているというのですが、五存七欠でいう「七欠」の方に、康僧鎧が訳したものが含まれる可能性は考えられないのでしょうか。

中村

「新無量寿経」ですからね、『歴代三宝紀』に出てきますのが。ですから、わたしたちの読む『大無量寿経』二巻と、仏陀跋陀羅が翻訳した「新無量寿経二巻」ですが、それが二巻本なのですね。それがわたしは同じものではないのかと思うのです。

だから五存とはいうけれども、七欠ともなっていますから、現存するものであるか、それとも欠本であるのかをどうやって判断していくか。これは確かにもう少し整理しないといけないと思います。「五存七欠」という概念そのものが、そのように出発しているように見えます。本当はもう少し検討する余地がありますね。『大宝積経』なんか見ますと、どうしてこれが『無量寿経』の部類に入るのかと思うくらいです。

本日は「親鸞と現代」の講座と言いながら研究発表みたいで、みなさんごめんなさいね。どうもありがとうございました。

おもひで　その二

中村薫先生との出遇いとは、私が生まれた瞬間から出発する。というのも、先生は私の父親の弟、すなわち叔父に当たる。したがって、私は幼少期から青年期にかけて「カオルおじさん」と呼び、反対に「きよし」「キヨちゃん」と呼ばれて、よく可愛がってもらった。所謂「おじさん」のお子さんは六人いるが、私から見ると従兄弟（従姉妹）の関係となる。そのため、小さい頃はよく養蓮寺さんへ泊まりに行き、夏は三河の海水浴場に連れ出してくれたものである。

二〇〇五年の三月頃、私は京都の大学を修了し、名古屋の同朋大学大学院に進学することになった。その受験前日に養蓮寺さんに宿泊し、翌日おじさんの車で大学の受験会場まで送ってもらった。その車中で「もし合格したら、これからあなたを伊奈くん（旧姓）と呼ぶから、僕を中村先生と呼ぶようにな」とおっしゃった。その日以来、学問の師となる中村薫先生との出遇いが始まったのである。

今回の講話に収載したが、中村先生は『華厳経』を学ぶ研究者であり、真宗大谷派の教学者であった。特に中国唐代に活躍した賢首大師法蔵が確立した華厳教学を専門領域としていた。そのため、大学院の演習や講義の内容は基本的に『華厳経』を講読されたが、その参考注釈書には法蔵の『探玄記』『華厳五教章』を参照した。特に『華厳五教章』の思想内容は難解であり、インド求法の旅から帰国した玄奘三蔵が伝えた法相唯識の思想背景を踏まえているため、演習では新導本『成唯識論』も精読した。華厳・唯識の原典解読の難しさに戸惑いながらも少しずつではあるが、知識や素養が身に付いた。大学院を終えた後も、折を見ては先生の授業に参加し、五年間は通い続けた。東アジアの精華とされる華厳、法相、天台といった仏教学派の大きな思想史的見通しを自分なりに描き出すことができたのも、ちょうどこの頃であったと思う。

中村先生の恩師は山田亮賢先生であり、兄弟子が鍵主良敬先生である。時々授業の中で諸先生から教わったことを楽しそうにお話してくれた。山田先生と鍵主先生との出遇いがいかに大きかったものか、その学恩が溢れ出るようなエピソードをしばしば紹介してくれた。と同時に、中村先生の中心にはいつも親鸞聖人がいた。先生は金子大榮先生の教えに啓発を受け、「真宗学という特殊なものではなく、仏教学という一般的なものではない、願生道として一つである」とよく教えてくれた。ここに中村先生の強い信念、すなわち樹心仏地に生きた仏教学の姿勢があったと言える。

私事で恐縮であるが、二〇一八年十二月に東京の親鸞仏教センター研究員の話をいただいた。夢のような話ではあったが、家族や寺役、非常勤講師の仕事などを考え合わすと、東京へ行くことは現実的ではなかった。そんな時、中村先生から連絡が入ったことを今も鮮明に憶えている。「一晩寝て、ずっと考えていたんだが、やはり東京へ行きなさい。僕は経験できなかったけれども、若いうちに行って東京の仏教学を吸収して来なさい。必ずあなたの人生に役立つから」とおっしゃってくれた。この一言を聞き、私は単身で東京へ行くことを決意したのである。着任後、翌年十一月に中村先生はご夫婦で東京へお越し下さった。これが先生との最後の旅になるとは思いもしなかった。聞きたい時、話したい時に先生はいつも側にいてくれると信じて疑わなかったからである。

最晩年の先生の関心は『大無量寿経』であった。その経典をめぐり、帰り道の本郷通りで立ち止まり、よく座りこんで一時間以上電話で話し込んだ。先生亡き後「普賢の徳にしたがうなり」という言葉が目に止まった。還相の菩薩となった先生がたくさん遺してくれた一言一句は、まさしく「普賢の徳」であったのである。

これから先、頂戴した学恩に報いていけるかどうか心許ないが、私は先生とご一緒させていただいた時間である「普賢の徳」を心の奥に留めて生きていきたいと思う。

藤村　潔（親鸞仏教センター研究員）

如来の作願をたずぬれば

二〇一九年十月二十九日　知文会館報恩講法話

（於　同朋大学知文会館）

このわたしを捨てない

如来の作願《さがん》をたずぬれば
苦悩《くのう》の有情《うじょう》をすてずして
回向《えこう》を首《しゅ》としたまいて
大悲心をば成就せり
（『聖典』五〇三頁）

改めましておはようございます。

今日は知文会館の報恩講ということで、お伺いをさせていただきました。只今述べさせていただいた讃題は、親鸞聖人が八十六歳の頃にお作りくださった『正像末和讃』の三十七番目に出てくる一首でございます。このもとは天親《てんじん》菩薩の偈文なのですが、それを親鸞聖人が和訳してくださったわけでございます。

阿弥陀如来の本願を建てられたお法《みのり》をよくよく尋ねてみれば、仏さまはどうして四十八の願を建ててくださったのか。日本には日本の伝統がありますけど、浄土には浄土の伝統があると言ってもいいでしょう。四十八願、どうしてそういうものを作ってくださったのか。

実は四十八願というのは歴史的にはいろいろと変遷しております。初期の経典を見てみますと、二十四願、それが四十八願に徐々に変わってきている。しかし、四十八願は進化したものということではありません。展開してきたのです。新しくすばらしいものになったということではなく、何千年も前の真理そのものが展開して、わたしたち衆生に投げかけておられるわけでございます。そういう意味で、誰かが付け加えたとか、間に合うとか間に合わないとか、そういうことではなくして、一切衆生に照らされたのがこの四十八願でございます。『大無量寿経』の上巻に出てまいります。

それで先ほどの「如来の作願をたずぬれば」というご和讃は、阿弥陀如来はどうして本願を建ててくださったのか、そのいわれは何かと言ったら「苦悩の有情をすてずして」苦しんでいる衆生を一人も残らず必ず救う、捨てない、ということをあらわしてくださっているのですね。これは大事なことですよ。捨てないのです。そのままのあなたでどこまでも捨てない、寄り添っておってくださるのが如来の本願なのです。

捨てないっていうことが大事なんでしょう。

人間は人間を捨てるのです。アメリカのトランプという大統領は、アメリカンファーストです。アメリカが一番なのです。他は捨てるのです。すべてを引き取るけども捨てていくのが人間なのです。それを捨てない。これはありがたいことじゃないですか。このわたしを捨てないって言うのです。

百五十日間の入院

個人的な話で恐縮なのですが、わたしは二年半ほど前に急性肺炎と腎不全で入院しました。百五十日間、ベッドの上に横たわっていました。今でもしゃっくりがよく出ます。しゃっくりというのは、心臓と肺の関係だそうです。みなさんの場合はご飯を食べた後とか、そういう時にしゃっくりが出ることがあるでしょう。そのしゃっくりが一日に数回出ます。だからまだ肺は完璧ではないのです。一番ひどい時には大好きな蕎麦が吸えませんでした。箸を持って蕎麦をすすると飲み込めなかったのです。当たり前だと思っていたことができなくなりました。

そして一番びっくりしたのは、立てなくなってしまったことでした。百五十日間寝たきりです。そして酸素マスクと点滴と、さらには肺に穴をあけて肺の中から水を出す機械の紐に結ばれて生活しておりました。それまでわたしは病気になったことがほとんどありませんでした。弱かったけども大病は一度もない。だからいらん話ですけれども保険は一つも入っていませんでした。自分は病気になったことはないから保険には入らない。そしたら病気になりまして、おまけに百五十日間寝たっきりです。そうすると立てないのです。こういう経験をされた方がおいでかわかりません。地球に引力があるということがよくわかりました。立てないのです。椅子に腰かけたとしても自分では立ち上がれない。思いの中ではさっささっさと立って、さっささっさと歩けている自分がいるけども、体は立てない。

また、自分で風呂に入れないのです。してもらわなきゃいけません。背中も自分でかけません。かいてもらわなきゃいけません。車椅子を使っての生活になり、そして杖を頼って少しずつ少しずつ歩く練習をしました。それでやっと歩けるようになりましたけれども、転んではいけないので、ゆっくりゆっくりといかなきゃいけません。

早く歩けないのです。

先日、連れ合いが体重計を買ってきました。今の体重計は面白いですね。乗りますとね、どれくらい肥えていて、骨や筋肉がどれくらいで、血管がどれくらい詰まっているのか、そういったものまで出るんです。不思議ですね。乗っただけで出るんです。そしたら、わたしの体内年齢は六十五歳と出ました。うれしかったですね。六十五歳、今七十一ですから六十五歳なんて。ところが足腰は七十五歳と出ました。だからわたし、立ったり歩いたりは七十五歳。飛び上がることができません。よっこらしょと歩かないかん。そういう生活をしております。

経験がおありの方もいらっしゃるでしょうけど、病院にいる頃は夜寝られなくなりました。十一時頃から寝るので、十時頃に誘眠剤をもらっておりました。それを飲むんですけども、一、二時間で目がパッと開いてしまう。「もうちょっと強いやつにしてくれ」って強いやつ飲んだら、今度は朝九時や十時になっても、まだふらふらふらふらしているのです。なかなか人間の体は難しいです。それで夜寝られない時には携帯電話でYouTubeを見ていました。池田勇諦《いけだゆうたい》先生が三重県の別院でお話しになったもの、大分県でお話しになったもの、それからご本山の報恩講の時の法話など、十五本くらいが出てくるのです。面白いもので、再生回数まで出るのですね。とある真宗学の先生の再生回数は千二百回くらい。わたしは四百回くらい。だれだれ先生は三十回とか。少ない人も多い人もあって、何か人気投票みたいなものですね。

そんないらんことを思いながらも、しかし、夜の時間を過ごすことで精いっぱいですので、法話を聞かせてもらいました。五十回くらい聞きましたかね。一つが一時間十分くらいで終わりますので、一日二回くらい聞いていました。三十日くらい聞いていましたから、それで五、六十回くらいになると思います。しかし、話していただいた先生にはご無礼ですけれども、今何にも覚えておりません。大雑把なところはあるけれども、あまり覚えていない。ただ聞いていただけです。しかし、それを聞いているのがいい。

仏教は毛穴から入る。聞いて今思い出すことができないけれども、たとえば池田先生のお話は、わたしの体の中に入っているはずです。このことをわたし自身が経験したのが、実は先ほどの「如来の作願をたずぬれば」のご和讃なのです。

仏教は毛穴から入る

「如来の作願をたずぬれば」のご和讃は学生時代に習いました。五十年くらい前、真宗学の講義でしたね。そのときのことをふっと思い出したのです。でも正確には言えませんので、それで『真宗聖典』をあちこち見て「あっ、これだ」と、このご和讃が出てきたのです。不思議といえば不思議ですけど、覚えておらんかったことが出てきたのです。これは人間の面白いところですね。われわれはいらんことはよく覚えているけれども、大事なことはすぐ忘れてしまう。しかし、忘れたんじゃありません。ちゃんと記憶にあるんです。

これはわたしの先輩からお聞きした話です。曽我量深《そがりょうじん》という先生が、講義中に何分か黙って思案されていたそうです。ずっと黙って。もし、話をしていた人が急に五分、十分と黙られたら、みなさんならどうしますかね。聞いている方は「いい加減にしろ」とか思うでしょうし、話していた方も苦しくなるでしょう。その時に曽我先生は言われたそうです。「忘れたのではありません、思い出せないのです」。これを聞いて、なるほどと思いました。唯識《ゆいしき》の世界なのです。記憶は忘れていきます。分別《ふんべつ》の世界では忘れていくのです。しかし、阿頼耶識《あらやしき》の根本では覚えているのです。忘れたのではありません、思い出せないのです。なるほどな、と思いました。

それで先ほどの、ふっと浮かんできた「如来の作願をたずぬれば」のご和讃ですね。『聖典』を持ってきてもらって調べまして、その時に何に気がついたかっていうと、「苦悩の有情をすてずして」という部分。これにピーンときたのです。『歎異抄』には親鸞聖人が「親鸞一人《いちにん》がためなりけり」とおっしゃったと記されている。その「親鸞一人」と「苦悩の有情」これは別な事ではないんですね。そうか、親鸞聖人は偉い人だからすごいな、そうじゃなかったんです。如来の本願は、親鸞一人のために長い長い歴史を経て届いてくださった。つまりそれは、わたしのためなのです。今日のこの報恩講も、わたし一人のために催されているのです。授業があるから来た、何々で来た、それは憂いです。来てみたら、これはわたし一人の課題なのです。

つまり、入院生活というどうすることもできない状況、体が動かないのです。それで何度念仏を称えたって楽にはならないのです。そういうギリギリの状況の中で「苦悩の有情をすてずして」という言葉が引っ掛かった。つまり仏は「一切衆生、すべての人を救わなければわたしは仏に成らない」そう願われていたことに改めて気づかされたのです。

「今日話を聞いたから、今晩あたりに救われるだろう」では寝ぼけた話です。ここに座っていることが救いなのです。確かなものなのです。信じて救われるもんじゃないんです。救われていることを信ずるのです。ご縁をいただいて、同朋大学の学生として今生活している。それが自分の生きる道なのです。

出家と家出

ちょっと話が逸れますが、この頃気づいたことなのですが「家出」と「出家」ということがあるでしょう。ふっと気づいたのですが、多くの人にとって、家は安らぎの場所ですね。「お父さんお帰り」と言って、みんなで食事をして、和気あいあいとなるのが家庭であり家族でしょう。それはそうですけれども、実をいえば、この家が不自由なのです。

お釈迦さまは二十九歳の時に出家されました。王位を棄て、財産を棄て、妻を棄て、すべてのものを棄てきって出て行かれたのです。それが出家です。お釈迦さまは自由を求めたのです。一方でわれわれは家に自由を求めます。一週間くらい旅行に行き、帰宅すると「やれやれ、やっぱり我が家はいいな」となる。だから家というのは安らぎの場所でしょう。ところがそうではないってことに気がついたのです。家にいるということは不自由なことなのです。不自由とは縛られているということなのです。だからといって「こういうことだから家出しろ」と若い人に言ったら叱られますし、家出が良いことだと言うつもりもありません。それでも人間には「自由になりたい」ということがあるでしょう。つまり、夫婦、親子、兄弟、隣近所、人間関係に縛られているのがわたしたちの生活なのです。

いろんなことで悩んだり苦しんだりするのです。自分で自分を苦しめているのと、周りが自分を苦しめているのと。重い苦しみがあれば、軽い苦しみもあるのです。たとえば、地球温暖化ということも心配です。はたまた自分のお腹が痛くなった時には「大丈夫かな、癌じゃないかな」と、そういう個人的な心配もみんなが持っています。しかしそれは執着なのです。その執着を離れるということが出家、つまり自由を求めていくことです。

夫婦というのはとってもありがたいことです。今日、わたしもこの知文会館まで連れ合いに連れてきてもらいました。子どもたちも「お父さん運転しちゃいかん。七十代くらいの人の事故が多いんだ」と言いますので、それで送ってもらいました。もう二年半、ずっと看病してもらっています。いい加減に叱られる時もあります。たとえば、わたしが透析を終えて、帰りの途中で何かを食べてくる、黙ってね。食べてくると帰りが遅れるのです。そしたら心配をして家の門の外にまで出て待っている。周りでは叱って鬼みたいだけども、夫婦というのはやはりお互いに心配し合う。しかし、同時に不自由なのです。兄弟もそうです。親子もそうです。

身と心

特に『大無量寿経』の下巻を見ますと、家庭の問題などがいろいろ出てきます。親が子を恨んで、あるいは傷つける。田畑がある人はある人で憂い悩み、田畑がない人はない人で憂い悩む。立派な家に住んでいる人は立派な家に住んでいることで悩み苦しみ、家のない人は家が欲しい欲しいと憂い悩み苦しむ。面白いでしょう。あってもなくても苦しみがあるのです。普通はないものを手に入れたら喜びでしょう。だけどそれは一瞬ですね。得たところから苦しみが始まるのです。

だからある人が言っていました。一番いいのは、いろいろな物を恵んでいただきながら生きていくことだと。お釈迦さまの托鉢《たくはつ》です。すべてはいただいていくものであり、そしてすべてが生かされていく。それが自由なのです。わたしたちは大勢いて孤独なのです。大勢いて寂しいのです。別科の学生さんでも学部の学生さんでも、仲間が大勢いるから楽しいでしょう。にぎやかでしょう。しかし、ちょっとしたことで孤立し、孤独を感ずることがあるでしょう。それが人間なのです。ですから、そういう状況、現実から逃げるなと言うのです。

出家というのは逃げることではありません。しかし家出は逃げるのです。出家は逃げるのではなく、立ち止まれということです。つまり、逃げたら人間は暗くなるのです。物の事柄、人間関係、嫌になるから切り捨てる。切ると暗くなります。引き受けたら明るくなるのです。引き受けられないから逃げていく、逃げたらどこまで逃げても暗いのです。引き受けたら辛く悲しく苦しいけれども、明るいのです。それが「身の事実に樹《た》つ」ということなのです。

心は妄念、妄想していきます。『華厳経《けごんぎょう》』という経典には「心は工《たくみ》なる画師のごとし」という言葉があります。心は絵描きさんが絵を描くように、あらゆるものを描くことができる。心はあらゆるところに行ける。身はここにあるのだけれども、心は「今日の昼飯は何にしようか」と考えることができるのです。心は妄念、妄想している。だから当てにならないのです。当てにならないものに執着しているのです。だからこそ厄介なんですね。しかし出家はそういうことではない。身の事実に樹《た》つ、引き受けていくのです。あらゆる境遇をわが身に引き受けていくのです。

心は自分に都合のいいものを描くけれども、現実はそれを許さない。わたしの百五十日間の闘病生活がまさにそうでした。一つも思い通りにならないのです。ベッドから起き上がろうと思っても、体は起き上がれないのです。よく百五十日間も頑張ってきたなとは思うけれど、もう二度と嫌です。だから今、わたしはよぼよぼと歩いています。転んだら寝たきりになる、そういう思いを持っています。だから転ばないように、少しはすらっと歩けるんですけれども、よちよちと一つ一つ確かめて歩くようにしています。まぁ、転ぶ時は転ぶんですけれどもね。

いろいろな先生のことを申し上げて恐縮ですけれども、安田理深《やすだりじん》という先生が六十過ぎになって結核になられた。それで近くの病院に入院されたそうです。わたしが学生時分に安田先生と出会ったのは退院されてからのことでした。とにかく、入院中は自由が利かないのです。集中できないのです。勉強しようと思って本をたくさん持ってきたけれども、めくる気分ではないし、もう本を読む気力もないのです。肉体というのは本当に大事ですね。

それで安田先生は勉強第一ですから、いろいろ勉強したいと思い、枕の下に本を隠しておったそうです。すると、二十歳くらいの看護師さんが来て「おじいちゃん、だめですよ」って注意されてしまう。看護師さんにとってはおじいちゃん。わたしにとっては大先生、前に出たら話もできないくらい尊敬している先生です。看護師さんは血圧を計ったり、いろんな検査をやったりで、先生はゆっくり本を読むこともできずイライラしてくる。それで看護師長さんを呼んで「あんたらね、安静安静というけれども、どういうことが安静なのですか」と文句を言われたそうです。そしたら看護師長さんが一言「そういうことを考えないことを安静というのです」、先生はやっぱり哲学をやっておられるので、それで「わかりました」とうなずかれたそうです。

われわれ人間の心はどこまでもさまよっていくものです。そういう中で身の事実に樹《た》つということが教えられるのでしょう。わたしは今の医学の発達によってここに座らせてもらっています。五十年前なら急性肺炎と腎不全で今頃亡くなっております。これは医学の進歩のおかげなのです。それはとってもありがたいことです。しかし医学の世界は、生命を延ばすだけなのです。助けることはできません。死んだ者を生かすことはできません。病気になった時にわれわれの生命を時間的に延ばすのは医学です。しかし死ぬ時には死ぬのです。そういう身の事実に樹《た》った時に永遠なるいのちに生かされていく。そのことを今日は一つ申し上げておきたかったわけでございます。

如来と我

そういった身の事実になかなか樹《た》つことができない苦悩の有情を見捨てない。すべての人を救いたい。そのために如来は四十八の願を建てられた。この四十八というのは、一つ二つ三つ四つと、数を加えていって四十八個あるよというものではありません。四十八という形でいろいろ出てきますけれども、本願そのものは、如来の本願なのです。そこに一つ大切なこととして出てきているのが第一願です。この第一「無三悪趣の願」とは「この世に地獄・餓鬼・畜生あらばさとりを開かない」という願いです。この世から地獄・餓鬼・畜生がすべて解放されるまでわたしは仏に成らない。つまり「本願は建てたけど、後は知らないよ」と、そうじゃないんです。

今の世の中は、言いっぱなし聞きっぱなし、一つも身の事実に樹《た》っていない。わたしで言えば、入院中にこういうことがありました。入院されればわかることですが、普通の病院は食事はあまりおいしくないのです。「どうしてこんなにおいしくなく作れるのかなぁ」というぐらいおいしくないのです。それを百五十日、三食すべてずっとそうだと考えたらどうですか。ですから夕方になると連れ合いに電話するのです。「今日うなぎが食べたいから、頼むからうなぎを持ってきてください」と。「今日はカツ丼が食べたいから、頼むからカツ丼持ってきてください」と、こうお願いするのです。そうすると四時半前後、カーテンと戸が開くのです。

　連れ合いの顔を見るとホッとするのです。やれやれと。まるで菩薩さまに見えるのです。怒られる時は鬼みたいで「自分のことは自分でしなさい」となる。「自分ででいきればするけども、できないから頼んでるんだよ」と言いたいけど、そういうわけにはいきませんね、厳しい。しかしその持ってきてくれた時、うれしいですね。病院の食事を連れ合いに食べてもらって、持ってきてもらったものをわたしが食べる。糖尿病もありますので、どれだけ食べたかを病院はチェックしていますからね。

　ですから連れ合いが四時四十分までに来ないと、もうイライライライラして「早く来ないかな、早く来ないかな」と。来てくれるとやれやれ。わたしがこんなに連れ合いを待ち焦がれたのは、若い時に恋愛していた頃以来です。そういう状況の中で日が暮れていきました。これは笑い話ですが……。

　しかし、入院中のわたしの身はというと、やっと肺炎も少し収まって、何とか息を少し吸える。でも蕎麦は食べられない。「帰命無量寿如来」も言えない。「帰命…」「無量…」「寿如来…」となって、息を吸うことがこんなに大変なことだと全く知らなかった。歩くのがこんなに大変だったとはわからなかった。それがわかったから治るかというと、わかっても治らない。治らなければ治らないところに身を置くしかない。身に任せて生きるしかない。

そういう中で一つお伝えするのですけれども、先ほど申し上げました曽我量深という先生のお言葉が浮かんできたのです。これは覚えたという話ではなくて浮かんできたのです。

如来、我となりて我を救いたもう。如来は我なり。されど我は如来にあらず。法蔵菩薩の降誕なり
（『曽我量深選集』第二巻四〇八頁。第四巻三五一〜三五二頁。取意）

という言葉です。どうですか。「如来、我となりて」と、如来は遠くにおられるのだと考えてはいませんか。如来は向こうにいて救ってもらおうと思っているのではないですかね。そうじゃないのです。

如来は我となりて、わたしの中にきて、わたしを救ってくださる。これは救われる

か救われないか、ということじゃないのです。如来は必ず救うと言うのです。救う、救わないは如来のはたらきなのです。そのはたらきにおいて、如来は必ず救うぞとおっしゃっているのです。「如来、我となりて我を救いたもう。如来は我なり」と、阿弥陀如来がわたしとなってこの中に生きておってくださる。

「されど我は如来にあらず」とは、これは大事なことです。「如来は我なり」だけで完結したなら、教祖です。「俺の言うことを聞いたら救われるぞ。俺だけが如来だぞ。だから俺の言うこと聞けば救ってやるぞ」。これでは上から目線です。如来はそうじゃありません。「如来は我なり」とは、如来のほうからわたしのところへ来てくださった。これは後ほど言いますけれど、回向《えこう》の問題なのです。如来は下からわれらを支えておってくださるのです。それが「なんまんだぶと称えなさい。それだけでいいのですよ。わが名を称えよ、南無阿弥陀仏と念仏申せよ」という呼びかけであり、はたらきなのです。

だから念仏は呪文じゃないんです。身の事実に気づいていくことなのです。「助けてください」ということで念仏する。それはわからんでもないけれども、如来を向こうに置いているんでしょう。

人間に生まれた

以前、中日新聞のマンガに出ていました。多くの人がお正月に神社へお参りに行かれる。そうして、あれも頼む、これも頼む。それも百円か二百円かのお賽銭で。それで神様が「この頃の参る人は欲が大きすぎる。頼む頼むとあれこれ言うが、そこまで聞いてられん」と横を向いてしまう。そういったマンガでした。

わたしたちには百八つの煩悩があると言われています。だからみんな願い事があるのでしょう。ああなりたい、こうなりたい。こういう願いは叶う時もあれば叶わない時もある。それをお釈迦さまは生老病死の「四苦」と言い、四つの苦しみとして教えてくださったのです。生まれる・生きる苦しみ、老いていく苦しみ、病の苦しみ、死ぬ苦しみ、これらは存在的な苦しみなのです。誰も逃げられないのです。

そしてこれもこの頃気づいたことです。厄介なことに、生と死、生まれると死ぬということは経験するのだけれども記憶にないのです。われわれの脳、心にあるのは脳という病なのです。身の事実は病と老です。みなさんお母さんの体からいのちがけで出てきたことも記憶にありますか。経験、体験はしているのでしょう。しかし記憶にはないのです。

記憶にないことは信じられないのです。だから生まれてきたことに文句を言うのです。「産んでくれと頼まんのに産んで」と、文句を言うのです。しかしそうじゃないのです。わたしたちはお父さんお母さんを縁として、こういういのちをいただいたのです。そして、そのいただいたいのちは死を通して、永遠なるいのちを迎えていくのです。往生、まあ還《かえ》っていくという言い方もありますけれども、往生、往《い》く。それがわたしたちのいのちなのです。

もうちょっと丁寧に言いますと、これもわたしは安田先生から教えていただいたことです。それは「お釈迦さまは人間から生まれたのではなく、人間に生まれたのです」という一文です。わたしはこれがわからなかったんですよ。人間から生まれたのではないと言われても、わたしはお父さんとお母さんという人間から生まれたじゃないか。しかしそうじゃないのです。お釈迦さまは人間に生まれたのだ。では、人間とは何ぞや。その人間とは何かを課題としていのちをいただいたのだ。これがお釈迦さまの誕生なのです。

だから「如来、我となりて我を救いたもう。如来は我なり。されど我は如来にあらず。法蔵菩薩の降誕なり」ということなのです。法蔵菩薩は四十八の願を建てて、この世にお生まれになった。事実はわれわれを救うため、摂取不捨、つまり一切を摂め取って捨てない、こう誓われたのです。

またお昼からゆっくりお話しさせてもらいますけれど「一切衆生と汝一人」ということについて、みなさんはどう思いますか。一切衆生を救う、そして汝一人なのですよ。これが大事なのです。一切衆生、すべての人を救う、国や民族や男性や女性や何も選ばずにすべての人を救う、一切衆生を済度するのです。と同時に如来の目当ては汝一人と言うのです。「みんな救われるそうだ、ありがたいな」と、そんな話じゃない。「あなた一人を救うぞ」と、そう誓っておってくださるのです。二千五百年の歴史を通して、如来の本願の歴史が、今日わたしたちに南無阿弥陀仏という念仏を通して届いてくださったのです。大事な人間としてのつとめ、そういったことを確認するのがこういう場所でございます。
これで午前中はご無礼させていただきます。

苦悩の有情

午後からは少し楽にお話しさせていただきたいと思います。お願いいたします。今回、讃題として挙げさせていただいたのは、

如来の作願《さがん》をたずぬれば
苦悩《くのう》の有情《うじょう》をすてずして
回向《えこう》を首《しゅ》としたまいて
大悲心をば成就せり

（『聖典』五〇三頁）

というご和讃でありました。それで午前中はこの「苦悩の有情」ということをお話しさせていただきました。

『歎異抄』を勉強している人はわかることかと思いますが、親鸞聖人はご自身の名前を出して「親鸞におきては」とおっしゃいます。他人の話じゃないのです。「弥陀の五劫思惟《ごこうしゆい》の願《がん》をよくよく案ずれば、ひとえに親鸞一人《いちにん》がためなりけり」なのです。どうして仏さまが本願を建ててくださったかというと、それは苦悩の有情を救うためなのですけれども、それは同時に「親鸞一人がためなりけり」と親鸞聖人はおっしゃっているのです。わたしはこれを、親鸞さんは偉い人だからそうなのだろうなと受け取っていました。しかし、実はそうでなくして「親鸞一人がためなりけり」という言葉は普遍的なものなのです。すなわち「中村薫一人がためなりけり」だったのです。このことに気づいたのです。「親鸞一人がためなりけり」は「中村薫一人がためなりけり」なのだ。そう、わたしなのだ。他人の話じゃなかったんです。

そうすると仏教というのは、知識を得るだとか学ぶとか、そういうのも大切ですけれども、気づくということなのです。「なるほどそうか、そうだったのか」とただうなずいているだけじゃなくして、机を叩いて「なるほどそうか」と立ち上がっていくのです。眠らされるものじゃない、気づかせるものなのです。それが「苦悩の有情をすてずして」ということの持っている意味なのです。

そしてもう一つ大事なのが「大悲心をば成就せり」とある、この「成就」が大事なのです。思い立った心が起きた時に、こうだとはっきりした成就が明らかになるのです。救われるか救われんかわからんけどここにいる、そんな話じゃありません。救うか救わないかは如来のはたらき、如来のお仕事なのです。われわれには「救いたまえ」ということしかない。これが「南無」の二字なのです。南無阿弥陀仏、南無、すなわち帰命なり。これだけなのですよ。

知識は大切ですけれども知識を超えていくのです。大学で仏教を学ぶというのは大事なことです。基礎知識を一つ一つ学んでいくことは大事なことです。けれども、学び方を学ばないといけない。

わたしは今、高齢で病人ですから、なかなか『大正大蔵経』を引っ張り出して調べることができません。握力がなくなって、片手で『大正大蔵経』が持てないのです。それで大学院の人たちにお願いをして「この言葉はどこにありますか」と尋ねます。そうするとパソコンですぐに調べてくれて「どこどこにありますよ」と教えてくださる。わたしの学生時代はそれを一晩かけて探していたものです。一晩かけて『大正大蔵経』を読んでいると頭がクラクラしてくる。とにかく出典の場所をはっきりさせないと論文が書けませんから、そういう勉強をしてきました。それも大事です。けれども、覚えることじゃないのです。気づくことなのです。「なるほどそうか」と。そうすると「苦悩の有情をすてずして」の、この「苦悩の有情」はわたしたちなのです。

王舎城の悲劇

午前中に少しだけ触れました「一切衆生」について、ここのところを少しお話しさせていただきます。

仏さまの教えは国や民族などすべてを超えて、誰にでも、いつでも、どこでも伝わるものです。これが一切衆生、すなわちすべてのところに届いていくということです。それは同時に仏の救いの目当てが「あなた一人だよ、あなたなのですよ」ということでもあります。これはどういうことかというと、一切衆生というのはすべての人でしょう。分け隔てなきすべての人。しかし、それだと抽象的な思いに終わってしまいます。すべての人と言ったって、具体的には誰のことだかわかりません。同時に汝一人、あなた一人。これが『観無量寿経』と『涅槃経』に説かれてくるのです。『観無量寿経』の王舎城《おうしゃじょう》の悲劇のお話は聞かれたことがあると思います。家庭内における騒動なのです。子どもが父親を殺す。そして父親が子どもを殺そうとした。そういう現実です。だからこれは今現在の話と共通するでしょう。今でも親が子を殺し、子が親を殺す。内輪の殺し合い、しょっちゅう出てくる話でしょう。これと仏教がどう関わるのか。

たとえば、犯罪の数は昭和二十年代（一九五〇年代）と比べると半数ぐらいだそうです。しかし同時に今日多いのは家庭内の問題だそうです。『観無量寿経』の王舎城の悲劇のような、親子の殺し合いですね。

頻婆娑羅《びんばしゃら》と韋提希《いだいけ》の間には子どもが授からなかった。子宝に恵まれなかったのです。しかし王族にとって、子どもが授からないということは、国が滅びることにつながります。徳川の時代になると大奥を作って、何人でも奥さん抱えてとにかく世継ぎを作る。つまりそれくらい世継ぎというのは大変な問題なのです。

『観経』に話を戻しますが、二人の間にはなかなか子どもが授からない。そこでインドでは占いが盛んなので、占い師に聞いたのです。そうしたら「山で修行している仙人が三年後に死ぬ。そうしてあなたたちの子どもとして生まれ変わるでしょう」と言われた。みなさんならどうですか、三年待てと言われたらつらいでしょう。好きな人と結婚したくて、それで結婚しようとなったのに三年間待てと言われたら、これはなかなか大変でしょう。

過ぎてしまう三年はあっという間です。しかし待てと言われたら長い。王さまもとうとう待てなくなって、家来に命令して仙人を殺しに行かせたのです。「仙人を殺せ。そしたら世継ぎが生まれるから」と。それで家来は仙人に「王さまのために死んでくれ」と頼むのだけれども「嫌だ、死ねない」と断られてしまう。だから、家来が仙人を殺してしまうのです。その時に仙人は「今度生まれてきた時はおまえを必ず殺すぞ」と、そう王さまに向かって叫んだ。こうして生まれてきたのが阿闍世《あじゃせ》太子です。今のいきさつのように、阿闍世というのは「未だに怨みの出てこない人」という意味で「未生怨《みしょうおん》」とも呼ばれます。また、周りの人は阿闍世が殺されかけた時にできたケガを揶揄して「折指太子《せっしたいし》」とも呼んでいました。

このような、身に持って生まれた劣等感という意味から、西洋の心理学には「阿闍世コンプレックス」という言葉があります。わたしも、もうちょっと鼻が高かったら、足がもうちょっと長かったらなど、いろんな劣等感を持っています。人間誰しも劣等感を抱えています。

そして王舎城の悲劇では、阿闍世の出生の秘密を、お釈迦さまのいとこにあたる提《だい》婆達多《ばだった》が、阿闍世に教えてしまいます。「折指太子」と呼ばれるその秘密の由来を教えるのです。そして「一度あなたを殺そうとした親です、恨みやつらみを持ちなさい。親を殺しなさい。わたしはお釈迦さまを亡き者にします。そうして二人で国を作りましょう」とそそのかし、謀反を起こすのです。提婆達多はお釈迦さまのいとこで、大変優秀なのですけれどもナンバー2。ナンバー2でもいいのだけれども世の中で自分一人、一番になれないならば二番でも五番でも同じだと考え、一番でなければならないと思い込んでしまった。提婆はどうしても教団の一番になりたかったのです。だから「お釈迦さまを倒そう。あなたは頻婆娑羅王を倒してくれ」と、二人で謀反を起こす。そして、阿闍世は頻婆娑羅王を七重に囲ったレンガの建物の中へ閉じ込めてしまったのです。

韋提希の苦悩と愚痴の言葉

そうすると困ったのは韋提希でしょう。お父さんと息子の間に入った韋提希は悩み苦しんでいくのです。息子はわたしがお腹を痛めて産んだ子だし、王さまは自分とずっと連れ添ってきた人です。どちらも捨てることなどできない。

その苦悩の中、韋提希は頻婆娑羅王のために食事を運ぶのです。体にバターを塗って、瓔珞《ようらく》などにはちみつを入れて、少しの栄養と水分を運ぶのです。

一方、牢獄の丸い窓の外に見える霊鷲山《りょうじゅせん》では、お釈迦さまがちょうど『法華経』、あるいは『大無量寿経』を説かれていたと言われています。お釈迦さまは、その何万人が聞いている大切な会座を中座し、姿を消されるのです。「王舎城へ急いで行かなければならない」と、大勢の聴衆を置いて王舎城へ行き、韋提希夫人を救おうとされるのです。ところが韋提希夫人は王さまのお妃ですから、気高さ、見栄がある。だから裸になりきれないのです。どんな困った時でも、人間は最後まで「わたしはこうだ」という思いを抱えており、つぶれるほど自分がひざまずくことなどできないのです。

お釈迦さまは韋提希の前にお見えになった。すると韋提希は何と言ったか。愚痴が出るのです。真っ先に、他の人間に対する、世間に対する愚痴が出るのです。「お釈迦さま、わたしはどういう因縁でこんな悪い子を産んでしまったのですか」と、わが子を悪人にしてしまうのです。そうして「いやいや、わたしの子だけではない。わたしの子をたぶらかした提婆はあなたのいとこと聞くじゃないですか。どういうことですか」と、次にはお釈迦さまにも責任を押し付けようとするのです。なかなか「わたしが悪い」とは出てこない。人が悪い、社会が悪い、今の時代も同じことですね。

それでもお釈迦さまは黙して語らず、じーっと立っておられました。マックス・ピカートという人が「言葉は沈黙の背景より出る」というようなことを言っておられます。言葉は沈黙の背景より出る。現代は騒音の時代です。だから言葉が通じ合わない。こうやってみんなで話を聞いている時でも、沈黙っていうのは大事ですね。べらべらべらべら誰かがしゃべったりすると気が散ってしまいます。言葉は沈黙の背景より出る。重いものなのです、言葉は。

「どうしてこんな悪い子を産んでしまったのか。わたしの息子をたぶらかしたのはあなたのいとこの提婆達多と聞くじゃないですか。あなたの責任でもあるじゃないですか」と、韋提希は泣き叫ぶ。そうして蓮台の上に立っておられるお釈迦さまを見て、韋提希は瓔珞を投げ捨てて五体投地するのです。瓔珞というのはアクセサリーなどの飾りのことです。つまり世間体ですね。みんなどこまでも飾りなのです。みんな世間体で生きているのです。

この中にも、小さい時に得度をされた方がおられるでしょう。「お寺の子」と言われたことはないですか。嫌だったですね。小学校四年生くらいで頭をつんつるてんにされる。学校に行くと自分だけつるつる。みんなはいつも通り。「京都に連れて行ってあげるよ」と騙されて行きましたら、直接床屋に連れていかれまして、髪の毛を剃ってさらに逆さ剃りに剃るのです。そうすると四日、五日生え方が違うのです。「お寺にさえ生まれんきゃなぁ」と思うけれども、世間からすれば「お寺の子」となるんでしょう。

韋提希もそうなのです。最後の最後まで世間体、瓔珞を飾ったまま、お妃である韋提希夫人として聞いているのです。ところが真理の前にはひざまずくのです。裸になるのです。そうして初めて「仏法を聞きたい」と願う。それでお釈迦さまは日想観などの観法を説かれます。教えを聞いた韋提希夫人は「わたしだけではない、この苦しみは誰もが持っている苦しみです。どうかこの教えを後に生まれてくる人たちのためにもお説きください」と言い、そうして観察《かんざつ》の方法が説かれていくのです。

阿闍世の救済

一方、阿闍世は牢獄の門番に父である頻婆娑羅王の生存を確かめます。「父の頻婆娑羅王は生きているのか」と。ここは面白いですね。これは人間の根源です。父の頻婆娑羅王、お父さんと言うのです。王さまだけでなく、肉体だけでなく、どこかに「父の」という人間性を持っている。それに対し門番は「韋提希さまが栄養あるものを持って面会されていますし、お釈迦さまの教えが輝いていますので、頻婆娑羅王はお元気ですよ」と答えます。それで阿闍世の怒りはまた再燃します。この怒りがどこに向かったかと言うと、母親なんです。

阿闍世は剣をもって韋提希を殺そうとします。その時、月光《がっこう》と耆婆《ぎば》という大臣が「父親を殺して王さまになった人は数万人といる。しかし母親を殺して天下を取った人は未だかつて一人もいない。ここで母を殺すならば、われわれはもう家来でもなんでもない」と後ろから止めるのです。さすがの阿闍世も刀を置いて殺すことはやめます。しかし、母である韋提希を閉じ込めてしまうのです。そしてお父さんが亡くなる。頻婆娑羅王は殺されたのか、あるいは自らいのちを絶ったのか。

実は仏教では「五戒」という五つの戒律の中に「両親を殺したものは仏に成ることができない」と出てまいります。そうすると阿闍世は仏に成れないのです。それを知っている頻婆娑羅王ですから、もしかしたら自らいのちを絶ったのかもしれません。そうすれば親殺しの罪が消えます。死んでいく父親が、自分を殺そうとしている息子を心配しているのです。これは親子でしょうね。親というのはそういうものでしょう。そういう中で「汝一人」という韋提希一人を救わなければならないのです。だからお釈迦さまは大切なお経を説いている最中だったのだけれども、中座して王舎城へ向かったのです。

それだけではありません。『涅槃経』というお経には、父親を殺してしまった罪の意識で病気になった阿闍世の姿が描かれています。その阿闍世をどのように救っていけばいいのか。お釈迦さまはおっしゃるのです。「阿闍世を救わずんば、涅槃に入らず」と。お釈迦さまはもう八十歳になられて、体もぼろぼろで亡くなる寸前という状態です。それでも「阿闍世を救わずんば、涅槃に入らず」と涅槃に入らない。つまり、阿闍世一人を救いたい、そこに立たれるのです。一人が救われるということが、全てが救われることとなのです。

身をまかせる

本日は、

如来の作願《さがん》をたずぬれば
苦悩《くのう》の有情《うじょう》をすてずして

回向《えこう》を首《しゅ》としたまいて
大悲心をば成就せり
（『聖典』五〇三頁）

というご和讃をテーマにお話をさせていただいております。

「回向を首としたまいて」というのは、如来他力の回向です。われわれは分別《ふんべつ》して、自力と他力を分けています。しかし、自力とか他力とか言うけれども、それは全部他力に包まれるのです。自力というのは努力することです。川でおぼれて流されている時に流されないように頑張っているのは初期仏教です。自分が救われるかどうか、大乗仏教は流されている身に任せるのです。流されるに任せる。そうすると沈まないのです。暴れるほど沈んでいくのです。その暴れるほどに沈むということを知ることが、また大切なのです。ですから、自力の作善《さぜん》を尽くすことが大事なのです。そして自力の作善を尽くして自力無効、間に合わないということを教えられるのです。間に合わないのです。今は人生百年時代、そうすると六十歳で退職したら、その生涯を尽くすまで、夫婦で二千万円かかる。こんなことに振り回されているのでしょう。しかし、今日とも知らず明日とも知れないのが人間のいのちなんです。にもかかわらず、七十一歳だとあと二十九年あるなと思い込む。それは身の事実ではないんです。思いに流されているのです。

そういう世界の中で「あなた一人を救えないならば、わたしは仏に成らない」という誓願です。如来の本願は大悲が成就した時に本願として生きるのです。そうでなければ絵にかいた餅です。本願が百も二百も出てきたとしても何にもならないのです。そしてその本願が苦悩の有情を救う、その救われ方が如来他力の回向なのです。

わたしはベッドの上で「なんまんだぶ、なんまんだぶ」と大きい声で叫びました。しかし痛みは少しも消えませんでした。愚かなことです。念仏とは、そんなもんじゃないのです。痛い中で苦しんでいく、そして安らぎを得ていく。任せるということです。そして、様々な人のお世話になりながら生きている身である、このことが教えられたのです。

「俺が、俺が、俺が」で、わたしは他力なんて嫌いでした。「自力でやらなあかん」、そう思っていました。「誰にも迷惑をかけないように俺は生きていくんだ」と頑張っていました。いかにそれが小さいことか、いかにそれが人々を悲しい目にさせているのか。人と人とが通じ合わなかったら……。

弘誓の仏地に樹つ

高史明《コサミョン》という作家がいらっしゃいます。高さんの息子さんの真史《まさふみ》君、この子は十二歳で自死しました。高さんは在日朝鮮人です。奥さんの岡《おか》さんは日本人で、都立高校の先生をしておられました。高さんは様々な仕事をしながら作家活動に励まれておりました。その高史明さんの息子である真史君のことは『ぼくは12歳』（岡真史著、高史明・岡百合子編）という本もありますし、ＮＨＫのドラマにもなりました。いろいろないじめにあったのです。差別用語を用いた言葉もありました。それだけではないのですけれども、思春期でもあり、いろいろなことを思ったのでしょう。

高さんは真史君に「君はこれから中学生になるのだから、自分でいいと思うことは自分でしなさい。ただ、人に迷惑かけるような人にはなってほしくない」とこう言ったというのです。高さんは真史君が亡くなった後、苦しんで苦しんで、東本願寺の御影堂にお参りして、一時間か二時間黙って座っておられたそうです。その時初めて『歎異抄』の言葉があれやこれや浮かんできた。それから少しずつ元気になられて、作家活動も再開していかれました。

高さんは当時を振り返って「わたしは間違っていました」と言われました。「人に迷惑かけるような人にはなってほしくない、これは間違いでした。『君は人に迷惑をかけなければ生きてはいけない人間なのだよ』と、こう言うべきでした」と。「人に迷惑をかける人間にだけはなってほしくない」というのは、これは当然のことです。迷惑をかけるのが良いことだとは言えません。しかし、よくよく人間の生かされている事実を見ると、人に迷惑をかけないと生きていけないでしょう。不自由なのです。だから出家するのです。優しい、温かい、それだけの人間関係は不自由なのです。

先ほど、身の事実に樹《た》つということを言いましたが「樹つ」という字は樹木の樹です。親鸞聖人は、『教行信証』の後序において、

心を弘誓《ぐぜい》の仏地《ぶっち》に樹《た》て　　（『聖典』四〇〇頁）

と記しておられます。「樹」という字を親鸞聖人はなぜ使っておられるのか。これは当たり前のことなのです。「樹」という字は樹木の樹なので、必ず根っこを張っているのです。風速二十メートル、三十メートルの風が吹いても倒れない根っこを持っています。樹木というのは、枝の広がっている分だけ根っこもあるそうです。ただ、地中にあって見えない。その見えないものに生かされているのです。

具体的に言えば、みなさんはお父さんお母さんの愛、いろんな人間関係、見えないものに生かされているのです。金子みすゞさんの詩に「星とたんぽぽ」というのがありますが、その言葉を借りれば「晝《ひる》のお星は眼にみえぬ。見えぬけれどもあるんだよ、見えぬものでもあるんだよ。」と、こういうことでしょう。おわかりになると思いますが、星空というのは暗いところで映えるのでしょう。太陽の光でお昼間は消されてしまう、見えないでしょう。見えないけれどもある、見えないものでもそこにはある。昼には見えないけれども夜になると見える、輝いている。気づいたのですね、そのことに。「樹つ」とはそういうことです。さまざまなおかげによって、わたしたちのいのちが生かされているのです。

生かされて「ある」

生かされて「ある」という言葉も、何かわかったような、わからないようなで、若い頃はあまり好きでなかったのですけども、病気の身が教えてくれました。百五十日間、七転八倒している中でつくづく生かされてあるいのちです。

たとえば、連れ合いが一生懸命にわたしの身をきれいにしてくれていますと、窓の外にとても小さな花が見えます。元気のいい時には、目にしていても見ていないのです。「忙しい忙しい」って。体が不自由になり、ゆっくりゆっくり下を見て歩いていくと、いろんなものが見えてきました。近くにスズメがきまして、スズメが鳴いております。そういう声が聞けるのです。いろんなものが見えてくる。元々あるのだけれども人間は「忙しい忙しい」でそれが見えない。

「忙」と「忘」という字は親戚ですね。「心」を下に持ってくると忘れる、横に持ってくると忙しい。漢字を作った中国人というのはすごいですね。忙しい忙しいで走り回っておると、見えるものが見えなくなるのです。働いて働いて頑張っておると、家族の声が聞こえなくなるのです。見ているようで見ていない。だから『観経』は観察ませんの「観」ですね。まず「観《み》よ」ということです。わたしたちは見ているようで見ていませんしてていい、見えないものによっていのちが支えられている。そのいのちを支えているのは「仏地」なんです。仏地に樹つ。清らかなお浄土の世界に樹つのです。何をこんなことで苦しんでいたのか。何をこんなことで悩んでいたのか。そういうことを発見していくのです。

信國淳《のぶくにあつし》という先生が「あなたたちの体でどこが一番大事ですか」と問われたことがあります。わたしは今、腎臓を失いました。肺の三分の一もまだあまり良くない。どこが大事か、心臓か、肺か。すべて大事なのです。いらない物は一つもありません。その中で信國先生は「足の裏です」とおっしゃいました。「足の裏にお礼を言ったことがありますか」とも言いました。わたしは伊勢湾台風（一九五九年）の片付けをしている時、腐ったクギを踏んづけて、長い間歩けませんでした。しかし、治ってしまえばもう忘れます。ですから足の裏にお礼を言ったことなどありません。その足の裏は仏地を、またわたしたちを支えているのです。

つまり、われわれが救われない間も仏は修行をしておられるのです。弥勒菩薩は五十六億七千万年後に仏に成る。永遠なのです。わたしたち一人一人が救われていくことによって本願が成就する。本願が成就しないのは、われわれが救われていないからです。だから仏は「称えよ、念仏ひとつだぞ」と、こう教えてくださっているのです。それが仏教の教えです。

最後になりましたが、わたしもみなさんの年頃、二十四、五歳の頃は、仏教の話を聞きたくありませんでした。試験になったら勉強しましたけれども、あとはあまり「聞く」ということをしてこなかった。しかし、歳を重ねるにつれて、聞いてきたことが無駄ではなかったとも思うようになりました。

みなさんもぜひ、同朋大学に入ったこと、別科に行ったことが無駄ではなかった。あの一年は面白くはなかったけれども、無駄でなかった。そういう学生生活を送ってください。それからお参りのみなさんはこの雨の降る中、ようこそお参りくださいました。いよいよ、よろしくご無礼します。

おもひで　その三

「礼に始まり礼に終わる」柔道や剣道の精神を表現する言葉である。いま、この言葉を借りるならば、私にとっての中村先生は「笑顔に始まり笑顔に終わる」あるいは「握手に始まり握手に終わる」と表現できるように思う。中村先生と出遇った方なら、この「笑顔で握手」する先生の姿を、誰しもが思い浮かべることができるのではないだろうか。そして、この法話録の日（二〇一九年十月二十九日知文会館報恩講）も、朝、笑顔で握手し、夕方同じように笑顔と握手で先生を見送った。私はこれまで先生と何度握手を交わしただろうか。先生の手は大きくいつも温かかった。まさに先生のお人柄そのものであった。

この日のご法話も聴衆にやさしく、時には力強く語りかけられ、先生の作り出す温かな雰囲気のなか行われた。その雰囲気が少しでも伝わったならば、法話録を編集した私としては望外の喜びである。

さて、幸運なことに先生との思い出を語る貴重な場を頂戴した。僭越ながら先生との思い出をいくつか書き記したい。

　私が先生のもとで学ぶ機会を与えられたのは、同朋大学大学院の頃である。飯田先輩、藤村先輩（旧姓伊奈）、小島先輩（旧姓酒井）に導かれ、そして四兄弟の末っ子のような立ち位置で本当に可愛がっていただだいた。出来の悪い私が、曲がりなりにも学問の場に身を置き続けられているのは、中村先生のもとに集う多くの先輩・学友に出遇えたことによる。お金はなかったが時間は沢山あった。先生のご自宅などで、寝食を共にし、夜中まで語りあった。仏教のこと、学生生活のこと、日常生活のこと。熱く刺激と煩悶を与えられる時間だった。先生は胸襟を開き自分の言葉で語ることのできる場がどれほど大切なのかを知っておられたのだ。だからこそ、多くの学生にご自坊を開放し、人と人との交流を大切にされた。こういった場は望んで得られるようなものではない。本当に得難き場であり、その末席に加えていただいた私は幸せ者である。

　私が博士後期課程に進学してからは、当時の先生の研究領域の一つであった日中浄土教論争研究にも加えていただき『念佛圓通《ねんぶつえんつう》』や『真宗《しんしゅう》 教旨《きょうし》陽駁《ようばく》陰資《いんし》弁《べん》』などの翻刻を行った。同時に私の研究（善導の思想・教学）に対しても、中国清代の浄土教を見地として、多大なご指導を賜った。そんな先生は研究者として一つの言葉をいつも私に呼びかけるように語ってくださった。

「論文を書きなさい。されど仏教は机上のことではありませんよ」

先生は仏教研究が信仰の伴わない知的関心に陥ることをいつも危惧しておられた。これは先生の研究者としての歩みそのものである。私もその姿勢を少しでも引き継いでいきたいと思っている。

まだまだ語り尽くせないが、与えられた紙幅にも限りがあるので、そろそろ擱筆しなければならない。

実は、先生がご還浄される前日、私は先生からお電話をいただき、五分ほどお話しした。その内容は『華厳経』と『大無量寿経』の出典に関することだった。「明日まで時間をくださいい」と電話を切った。結局、その報告はできないままとなってしまった。

先生はお電話の時、必ず「忙しい時にごめんね。一つ教えてください」と言葉をかけてくださる。この日もそうだった。先生は最後まで私に「人を思い遣る心」と「学ぶ者の意欲とその姿勢」を身をもって教えてくださったのだ。

先生の学恩に私はどれだけ報いることができるだろうか。

「市野君、身は一つですよ」

この言葉も腰の定まらない私を気にかけて常々語ってくださった言葉の一つである。改めて先生から多くの言葉と願いをかけていただいていたことに、今更ながら気づかされる。身を一つに、せめて先生との出遇いに背かないように、私の歩みを進めていきたい。

市野智行（同朋大学専任講師）

生老病死

二〇一九年九月二十七日　秋の彼岸会法話

（於　一宮市　真宗大谷派徳行寺）

「生・老・病・死」は逃れられない

おはようございます。一宮市の千秋《ちあき》町から参りました中村薫と申します。光の具合でみなさんのりっぱなお顔が真っ黒でよく見えませんね。今日はあまり難しい話を申してても何ですから仏教の基本的な話を聞いていただきます。

まず言葉としてはご存じだと思いますが、聞いたことありますかね「四苦八苦《しくはっく》」。困ったときに四苦八苦したとか使いますね。実はこれは仏教の言葉なのです。四苦というのは「生《しょう》・老《ろう》・病《びょう》・死《し》」です。この四つからはだれも逃れられない。いくら地位や名誉やお金があってもこの「生・老・病・死」は逃れられないのです。

だれも選んで生まれてこられない

この「生」という字は仏教では「ショウ」と読みます。四苦のうち、生と死はわたしたちの心の中の記憶にはございません。みなさんの中でお母さんの体内から出てくるあの苦しみ、覚えている人はありますか？　二歳、三歳になると自分がわかってくる。一方で、おぎゃーと生まれて出てくる経験はしたけれども記憶には残っていません。しかし生まれるということは必ずお父さん、お母さんがいるわけでしょ。自分で選んで生まれてきた人はいますか？　気に入らないこともあるでしょう。気が付いたらこの人がお父さんで、お母さんであった。

この前ニュースでやっていましたが、たしか四年生の子どもでしたか、お父さんがカーっとなって、その子の首を絞めてしまった。子どもの言葉はたった一つ「あんたはわたしの本当のお父さんじゃない」。日本というのはなかなか難しくてね、男女平等とは言いながらいろいろな格差を持っておるのです。

みなさんの常識で言えば、結婚したら末永く二人で寄り添って子どもを育てていくのが一番いい家庭だと思うでしょう。ところが実際の人間の心は「産んでくれなんて頼まんのに勝手に産んで。どっちみち産むならもうちょっと頭良く産んどけ。もっと金持ちの家に生まれたかった」と、一つも自由にならないのです。

日本人になりたくて生まれてきた人はありますか？　気が付いたら日本人だったんでしょう。作家で高史明《コサミョン》という方がおられます。もう高齢ですので外へは出られないそうですが、その方の奥さんが岡百合子《おかゆりこ》さんという方です。朝鮮半島では夫婦別姓なのです。日本だと岡さんは高さんの家へ嫁いだら高さんという名字になるでしょ。わたしも昔は伊奈《いな》という名字でした。ところがいまの家に養子に入った時に何の疑いもなく中村になりました。名字にはあまり執着はありませんけど変えなくちゃいけない。今日わたしの連れ合いが車を運転してここにおりますけれども、一旦わたしを養子にしたのです。しかし、結婚式の時には連れ合いは隣の家でお嫁さんの服装をしてお寺の門から入ってくる。つまり、わたしの連れ合いの方がお嫁に来るのです。そうしないと何か事があった時にわたしは裸一貫で追い出されるそうです。

それで、この高さんと岡さん夫婦に子どもさんが一人おられました。その子はビルから飛び降りて自死されたのです。半分日本人で、半分朝鮮人です。日本には在日の方が何十万人とおられます。名字を日本の名前に変えて住んでおられる方もいます。

かつて関東大震災の時には噂が飛んだんです。「朝鮮の人が井戸に毒を入れてわれわれを殺すかもしれない」と。それまではみんな仲良くしていたのに。醤油がなければ借りに行ったり、朝鮮の人であろうが日本の人であろうが仲良くしていた。しかし、関東大震災の時には「朝鮮人がわれわれを殺す」という噂が立てられて、それで対立してたくさんの人が亡くなったのです。

同じ日本に住んで、日本語を話し、日本人として生きているけれども、民族が違うというだけで差別を受けていったのです。それもつらいでしょう。選んで生まれてきたわけではないのだけれども、たまたまお母さんが日本人で、たまたまお父さんが朝鮮人だった。間に入って苦しんで差別を受けていくのです。亡くなってしまった。

高さんは『歎異抄』という書物を学んでおられたそうです。岡さんから聞いた話ですが、お子さんが亡くなってしばらくした後に二人で東本願寺へお参りに行かれたそうです。親鸞聖人の御親影《ごしんねい》の前で、長い時間じーっとしておられた。そこで高さんは『歎異抄』のいろんな言葉が浮かんできたそうです。「さるべき業縁《ごうえん》のもよおせば、いかなるふるまいもすべし」。人千人殺せと言われても殺せないけど、殺すなと言われても殺すかもしれないのがわたしのいのちだ。親鸞さんがそうおっしゃった。それに気が付いて、それから『歎異抄』の勉強をされて徐々に元気を取り戻していかれたようです。

生と死は一つ

わたしたちは民族も選べないし時代も選べない。みなさんは今の時代に生まれてよかったですか？　わたしもこれで七十一歳になりますが一番幸せです。怖かったのが伊勢湾台風だけ。三河の地震も濃尾震災も生まれる前のことです。戦争も、Ｂ29が飛んでくることもない。とても平和な幸せな時代に生まれてきました。

しかし、これからは大変です。生まれるのがちょっと遅かった。わたしたちは年金が将来もらえるかどうかわかりませんね。百歳まで生きるには二千万円いるそうですが、しかし百歳まで生きるとは勝手な思いなのです。だれが保証できますか。今日とも知れず明日とも知れず儚《はかな》い我がいのちなのです。いつ死んでも不思議ではない、いのちなのです。生と死はくっついていますから。

ある方がおっしゃっていました。「子どもが生まれてお祝いに行くんなら、その時に香典も持っていく方がいいよ。だって生まれたら必ず死ぬのですから」と。そんなことは無茶な話ですが同じことですよ。生まれたということは必ず死ぬいのちなのです。ところがこの生まれてきたことと死ぬことは記憶に残らないのです。お浄土へ生まれて帰ってきた人がいればいいですけど。「蓮の花が咲いた池があって、お釈迦さまが向こうの窓から『こんにちは』って言ってたよ」って、そんなことを言える人はいないでしょう。

「忘れたのではありません。思い出せないのです」

人間は不幸が嫌いで幸せになりたいと願います。ですから生老病死の苦しみは好きじゃありません。だれも年はとりたくないのです。いま、わたしの所にお婆さんがいます。九十四歳です。家族の中で一番元気がいいですね。元気がいいけど一番口が出ます。「肩が痛い、腰が痛い」と。それでいて、そんなに食べちゃいかんと思うけれども、お婆ちゃんはついつい何でも食べちゃう。食い気も一番です。

この前も、孫がひつまぶしを食べに連れて行ってくれまして。曽孫《ひまご》たちはお腹いっぱいで途中で食べられなかったそうですけど、お婆ちゃんはゆっくりですが全部食べた。わたしの世代まではそうなのです。この頃は体のことを考えてもったいないことをしてますけど、わたしも昔は箸をつけたら全部食べていました。もったいない。お婆ちゃんは学校の先生を三十年していましたのでそういう訓練が出来ています。元気がいいし、記憶も一番いい。わたしと連れ合いはダメです。特に連れ合いは瞬間的に生きていますので、二つのことを頼んだら、前のやつを忘れる。「明日ここでこうするよ」と言うと、「はい」という返事はするけど明日になると忘れてしまいます。

これは聞いた話ですけど、曽我量深《そがりょうじん》という先生が話をされていた時、五分、十分黙って考えこまれた。そうしたら突然立ち上がって「忘れたのではありません。思い出せないのです」と言ったそうです。なるほどなーと思いました。仏教の精神を分析してみると「忘れたのではありません。思い出せない」が本当なのです。

姑にいじめられたことはふっと出てきます。そういえばあの時こう言われた。本当は忘れっぱなしの方がいいのだけれども、ついつい出てくる。人間の根性というのは大変です。生まれてから死ぬまで「俺が俺が」の根性です。そんな中で生と死は一つです。手の裏表と同じことです。生まれたら必ず死ぬ。このことがわからないという人はいますか。生まれた以上は必ず死ぬ。言い換えれば、死ぬのが嫌なら生まれてくるなという話でしょう。そういう苦しみなのです。

一人生まれて、一人去っていく

生老病死の中で最後に出てくるのが孤独です。だれも言うことを聞いてくれない。孤独というのは一人ということではありません。一人で住んでいても孤独ではないのです。逆に家族五、六人で暮らしていても孤独なのです。孤独をどう引き受けていくかということです。

一方で、孤立ということがあります。だれも寄り添ってくれない。だれも自分の話を聞いてくれない。若い者と仲良くしたいけれども若い者が何にも言ってくれない。それが孤立していくということです。夫婦二人が元気でいる間は、喧嘩していても繋がりがある。恨みつらみを言いながらも絆があるのです。それがどちらかが倒れた時に一人になる。その時に孤立していくのです。

しかし孤立するけれども生きる意味において独立する。孤立から独立。一人立つのです。われわれは一人生まれて、一人去っていくのです。一人でここに来て、一人で帰っていく。だから人と人との出会いが大事なのです。人の間に生きるのです。それを人間と言うのです。

人間は、この「人の間」の中で不自由を抱えながら生きています。夫婦であれば、夫婦の間で自由がきかないのです。わたしも病気になって三年間連れ合いにお世話になっています。三年にもなるとお互いに愚痴がでますね。連れ合いに「三年も面倒を見たんだから、もしわたしが倒れたら、今度はあなたが三年は面倒を見る義務がある」と言われたとしても仕方がありません。

退院したその時は歩けませんでした。風呂も一人で入れない。全部お世話にならなければいけない。いまも透析をしていますので、体が痒いのです。でもね、背中を自分でかくことができません。長い孫の手を使っていますけど、うまくかけないものですね。だから背中に薬を塗ることもできない。

いま、連れ合いにレモンの汁を塗ってもらっています。これおもしろいことにね、中国に行った時に薬を忘れたんです。そうしたらお医者さんに「レモンの汁をつけといてください」と言われて、そしたらそれが効きましてね。それから毎日二回塗ってもらっています。みなさんも痒い時には一回ぐらい試してみてください。その塗ってもらう時の様子で、わたしは連れ合いの精神構造がわかります。機嫌の良いときは丁寧にしゃべりながら塗ってくれますし、悪いときにはパチパチパチパチとやって、はい終わり。微妙なところがあるんです。

人間とは不自由なもの

これは余談でしたけれども、人間というのは不自由なものなのです。ですから家出するのは人間の一つの行為なんです。自由を求めていくんです。家にいると母ちゃんから「勉強しろ、勉強しろ」と、うるさくて仕方ない。それで逃げるがごとく出ていくのは、自由を求めているからなのでしょう。

人間というのは不自由なのです。親子、夫婦、兄弟、どれも絆を持って生きる優しい家庭ですけれども、そこにはいろいろあるでしょう。わたしもこの前息子から叱られましてね。事あるごとに倒れて、それで救急車でしょっちゅう運ばれる。この前は三十九度八分でしたかね。体温じゃなくて、土の上の温度のことです。四十度くらいあったのでしょうね。ところがわたしの体は熱があることを感じない。普通の人は熱が出ると寒気がするとか、頭が痛いとか、何らかの症状が出るでしょう。でも、いまのわたしはそういうのが全くわかりません。その時も、車に乗ろうとしたら足が動かない。実は熱があったのです。三十九度四分。空気や地面が熱くなって、それでわたしの体も一緒になって熱くなっていたんです。

その時はお医者さんに行って解熱剤とか点滴を打ってもらって帰ってきましたけど、長い時だと十日間くらい入院します。短い時でも一週間。どう言えばいいですかね、基礎体力がないのです。ですからどうしてこうなったかわからないのです。何をして熱が出てきたのかわからない。そうすると泣きながら「頼む頼む。みんなありがとな」となります。弱気になってしまうのです。

ところが六月に中国へ行きましてね、その時はルンルンで元気が出るのです。この法座も引き受けた以上は絶対にドタキャンはできない。三日くらい前から体を調整して、これが終わったら台湾へ行きます。そうすると徐々に徐々に元気になるのです。しかし、帰ってきたらシュンとなる。「勝手都合が良すぎるじゃないか、もうちょっと自分のことを考えて、人に迷惑をかけないようにゆったりと暮らせば」と言われるんですが。「何言っとる」となりますね。そんなことが出来れば人間自由になれる。

不自由なのです。

如来他力回向の念仏

自分の体が自分の思う通りに一つもいかない。そういう不自由の中を生きている。わたしは百五十日間ベッドの上で療養しておりました。腎臓と肺の病気ですから、肺は後ろから穴をあけられて、そこから水抜きをします。一日に二リットル。水がたまると息が吸えません。苦しいから抜いてもらわないといけない。腎臓も悪くなってしまったので透析をしなければならない。足の付け根の所から注射器を入れて透析をする。とうとう気が付いたら六十九キロあった体重が四十五キロになってしまいました。そうしたら歩けないのです。本当にあの時は地球に引力があるなと思いましたね。立てないのです。ストレッチャーに縛られたまま立たされて、そういう練習から始めなければならない。

筋肉が全部落っこちた。いまは便利な道具がありまして、その機械で計算すると体内は透析しているから六十五歳だけど、歩行は七十五歳だそうです。これが現実なのです。そういう身の事実に樹《た》つことが大事なのです。

ですから仏さまに「頼むから治してくれ」と、なんぼ念仏を称えても治りませんでした。「なんまんだぶ」と言わずにはおれなかったけれども、自力作善《じりきさぜん》の念仏はダメでした。

難しい話ですけれども「如来他力回向《えこう》の念仏」それがそのままということです。「そのまま引き受けよ」ということです。わたしもノイローゼみたいになりましたけれども、はっきりしたのです。仏さまからいただいた、いのち。仏さまからもうダメだぞと言われたらお浄土へ参る。もうちょっと娑婆で業を尽くせと言われれば尽くさなければならない。

その時に曽我量深先生の言葉が浮かんできたのです。「如来、我となりて我を救いたもう。如来は我なり。されど我は如来にあらず。法蔵菩薩の降誕なり」。この言葉が浮かんできたのです。少し説明しますと、如来に助けてくれと、向こうに見て拝むのではない。そんなのは自力作善の念仏です。そうではなく、如来がわたしのほうに来て手を差し伸べてくれている。おまかせなのです。必ず救ってくださる。救われるかどうかわからんけどここに腰を下ろしている、そういうことではないのです。そのままでいいんです。「今晩あたり救われるだろうか」では寝ぼけた話です。いまここにこうしていることが救いなのです。

法蔵菩薩の誕生

不思議だと思いませんか。今日は連休ですから、孫が家へ来るとなったら「法話を休もうかな」となる人もあるでしょう。あるいは朝起きてお腹が痛くて七転八倒すれば、いま頃は病院のベッドの上に横たわっているかもしれない。そのわたしがいまここに座っている。わたしの力で座っているけれども、わたしをここへ連れてきた何かを感じませんか。

ご先祖さまに遇いに来たということもあるでしょう。「今日はお父さんお母さんに遇いに来たよ」「今日は人間に生まれた喜びを何とか知らしてほしい」、それぞれいろんなことがありますよね。そういった中で「如来、我となりて我を救いたもう」。仏さまがわたしの中に来てわたしを救ってくださる。これが『大無量寿経』に出てくる法蔵菩薩の誕生なのです。他にあるのではない、如来は。

ですからこれを「仏凡一体《ぶつぼんいったい》」と言うのです。この言葉は聞かれたことないですかね。だから、今日から凡夫をやめて仏に成る、そんな器用なものではありません。どこまでも凡夫に帰っていくのです。泣きたいときには泣く。怒るときには怒る。ケンカをするときにはする。ケンカが良いということではないですよ。「腹立たば、鏡の前に立ってみろ。鬼の姿がタダで見られる」。だれも鬼になろうとしてなるわけではないでしょう。何か一つの事柄で腹が立ってくる。それが植木等《ひとし》のスーダラ節なんです。

凡夫に帰る

植木徹誠《てつじょう》という人は戦争に反対して拷問にあった人です。この人は植木等のお父さんです。実は植木等は浄土真宗のお坊さんの家に生まれています。わかっちゃいるけどやめられない。これが人間の根性なのです。みなさん今日から一日で結構です、二日でもいいです。腹を立てないでおられますかね。おられるかもしれないけど保証はないでしょう。せっかく昨日買ってきた靴が帰ろうとしたらなくなっていた。そしたら腹が立つでしょう。「だれだ、わたしの靴を履いていったのは」と、なりませんか。いつでもどこでも腹の立つ用意をしているのがわたしたちの根性なのです。

そういう中で仏凡一体とは限りなく凡夫に帰ることです。そのままのあなたでいいんだよ。足す必要も引く必要もない。そのままのあなたでいいんですよ。それが不自由な生活をしながら自由になるということです。

物がいくらでもある時代を生きる苦しみ

でもいまの若い人は一面賢いですね。結婚を望まないという人が増えている。そして子どもは欲しいけれども、結婚をするということが必須ではない。好きな人の子どもを授かれば形は気にしないという人もいる。これは良いか悪いかということではありませんね。現代の兆候なのです。

時代ということで言えば、一九九〇年代から使い捨ての時代に入りました。物がいくらでもある時代。われわれは米粒一つも残さず食べるという、もったいないという精神、それで生活してきました。それがいまはほとんど使い捨てです。一九六〇年代から七〇年代に生まれた方がお父さん、お母さんになった時代は家付き、カー付き、ババ抜き。それが幸せだったんでしょう。それでみんな団地に移ってしまったのです。政府がこれを進めたんですが、失敗でした。

いま、孤独の老人夫婦がいっぱい出てきました。いまの年金では暮らしていけません。わたしが提案しているのは、いまからでも遅くないからもう一度、三世代一緒に暮らすということです。食事は別でもいいから、とにかく一緒に暮らす。そうするといいですよ。電気代、ガス代、食事代、新聞代、うんと少なく済む。

わたしのお婆さんは三十年学校の先生をして恩給をもらいました。あの頃はいいですよ。人のことだからどうでもいい話ですけれど、三百万円貯金すると一年で六万円の利子が付く時代でした。貯まって貯まって仕方がない。お婆さんは衣食住全部わたしと一緒。いまは息子が払っていますけど、お婆さんはお金を使うことないから、最低年三十万円くらいあれば曽孫に誕生日祝い、そしてお年玉を配っても足りる。だからお婆さんは人気があります。

この前聞いて初めてわかりましたけど、老人の日というのにわたしは入らないそうです。大きいお婆さんだけ。だから大きいお婆さんは息をしているだけでお金が入るのです。だから連れ合いは計算しています。一年間生きているとどれだけ入るか。ただしお婆さんも賢いものです。わたしたちに全部はくれない。孫六人と曽孫に全部分ける。お金だけが人生ではないけれども、お金があると豊かな生活ができますよね。

だからお寺の普請をした時に、それこそ何千万円の寄付です。持っていても仕方がないから、死んでいく時にはみんな置いていく。お金は生きている時に使うほうが良いのです。そしてみんなのために寄付をしてお寺を支える。昔は学校の先生をしてお寺を支えた。そのあとはわたしが大学に勤めていましたので、それで生活している。つまりわたしのお寺はだれかが勤めに出ないと安定しないのです。だから息子は別院に勤めています。別院は人相手ですからストレスが溜まるみたいですね。よく瞬間湯沸かし器みたいにカーっとします。それでも収入があるから助かるのです。お寺は盆正月と収入がある時はいいのですがそんなに続きません。葬式の予約は全くあてになりませんから。

おわりに

いろいろと申し上げてまいりましたが、最後に確かめておきたいのは、生と死は一つであるということ。それから老。人は取りたくなくても必ず年を取ります。中国の道教の本を読んでみますと「とにかく普通の生活を送り、優しく良いことをしなさい。病気になったら薬を飲んで安静にしなさい。それが寿命を延ばす秘訣ですよ」とありました。だから精神的なものもあるのですね、老いというのは。ゆっくりしゃべる。早口はダメです。ゆっくりしゃべると落ち着くのです。

そして病というのは精神的な病気と肉体的な病気。仮病は病なり。病気の中に仮病がある。これはね、若い人に多いのです。学校に行こうと思ったらお腹が痛くなってやめた。いろいろと嘘をついて休もうとする。人間の心も病気をするのです。病気は嘘でもなるのです。これが心。肉体的には事故をするとか、手術するとか病を抱えていく。そういうわれわれの逃れられないものを「四苦」と言います。

もうお時間になりました。残りの「苦」についてはまたの機会にお話しさせていただきます。今日は「生・老・病・死」の「四苦」についてお話し申し上げました。どうもありがとうございました。

おもひで　その四

この頃の父は少し体調も良くなり、母と祖母と穏やかな日々を過ごしていた。耳の聞こえない祖母、体が動かない父、言うことを聞かない母との三人での生活は、いま思えば父にとってはようやくゆっくり（家の中はドタバタでしたが）過ごせた日々であった。ただそのような生活を望んでしていたわけではないのは何となく感じていた。家の中でじっとしている生活は辛かったのであろう。外に出てまだまだやりたいことが沢山あったのだな、と。

この法話の中にも出てきたが、この頃の僕は父と顔を合わせれば文句ばかり言い合っていた。完治などするわけがない病（糖尿病・透析）を患っているのにやれ中国だ、台湾だと立て続けに行く。やはり息子としては憤慨を抑えきれなかった。どうしてもっと自分の体を大事にしてくれないのか。

しかし、だれかに望まれれば、もっと言えば仏法に出遇うためだったら自分の体のことなんてもう二の次になってしまうのだろう。とても父らしい。ただ父としても、子どもや孫のことを考えて我慢していたことが多々あったのだと思う。僕らがいなければもっと自由に生きていけたのかもしれない。

今回、久しぶりにテープ起こしで父の声を聴かせてもらった。聞きなれたあの声が聞こえてくると、家に帰れば今でもお勝手の椅子に座って本でも読んでいるのではないかと思ってしまう。

たまたま今回の法話のテーマは「四苦　生と死」だった。「生と死は一つです」この普遍的なテーマをわかりやすく話してくれている。時には笑いも交えながら、しっかりとみなさんの心に届くように。あいかわらず上手な話である。

しかし、まさかこの時から一年も経たないうちにお浄土へ還るとは夢にも思わなかった。「仏さまからもうダメだぞと言われたらお浄土へ参る。もうちょっと娑婆で業を尽くせと言われれば尽くさなければならない」という言葉が胸にささる。

そして同じ年に祖母までお浄土に還ることになり、私事ではあるが一気に向こうがにぎやかになってしまった。祖父、祖母、姉、そして父。数え上げればキリがないが、多くの方との別れを経験する歳になった。みんな元気でやっているであろうか。淋しい気持ちに嘘はつけないが、みんな心の中でいつまでも生きていてくださっている。そしていつも支えてくださっている。面と向かって言えなかったのは申し訳なかったが、お育ていただき本当にありがとうございました。また遇う日まで。なむあみだぶつ、なむあみだぶつ。合掌

中村　亮（中村薫　長男）

あとがき

二〇二〇年五月八日、世間は緊急事態宣言中で、こんな時に行う葬儀は大変だろうな、と軽い気持ちでいた。いつものように家に帰り、いつものようにご飯を食べ、いつものように明日の予定を考えながらお風呂に入っていた。すると「どうもお父さんの様子がおかしいよ」と。また熱でも出たのかな？　その時期の父は熱が出れば入退院を繰り返す生活をしていたので、今度もまた何日か入院するのかな、くらいに考えていた。しかし、父の様子を見て、今度はただ事ではないことがすぐにわかった。急いで救急車を呼び病院に担ぎ込んだが、もう時すでに遅かった。こんな別れ方になるのか、と。

あとがきで記すようなことではないが、心残りしかない別れ方であった。誰しもが別れの時はそう思うことであろうが、今回このような機会を頂いたので私の心残りを少しばかりお話ししたい。

言うまでもなく、故中村薫は偉大な先生であり、宗教者であり、住職であった。今更その功績を殊更に述べるつもりはない。しかし息子としては、偉大な父親であったとはどうしても言えない。このような時は美辞麗句で飾り、故人の遺徳を偲ぶのが世の常であろうが、そう言えない親子関係であることは、この本をお取りの方の大半は理解できるであろう。

今でも高校三年間父と口を利かなかった反抗息子として名が通っていると思うが、正確に言うと中学時代も含めてだから六年間である。それは幼いころより六人兄弟の長男として厳しく育てられ、親に甘えるということが出来なかったことによるもので、大人になってもそのことを引きずり、最後まで本音をぶつけることができなかった。

そういう息子として最後に言わせてもらえれば、今まで育ててくれて本当にありがとうございました、という言葉。ありきたりの言葉ではあるが偉大な先生、宗教者、住職としての中村薫にではなく、一人中村亮の父としての中村薫に言いたい。心からのお詫びの言葉でもある。今、思えばそんな難しいことではなく、ただ単に親としてのあなたに甘えたかっただけのことだった。この歳になってこんなことを公に言うのは誠に恥ずかしい限りなので、やはりこういうことは生きている間に面と向かって済ましておくべきであった。これからの人生はあなたのいない人生を歩んでいきますが、産んでくれてありがとう、とはまだ言いません。心からこう言えるような生き方を歩んで死んでいきたいと思う。後は、念仏の教えがそうしてくれるであろう。

あとがきとはとても言えない文章であるが、けじめとしてここに一言載せさせていただきたい。

今回、本書を出版するにあたり序文をいただきました、近藤章先生、伊奈祐諦先生に感謝を申しあげます。また飯田真宏氏、藤村潔氏、市野智行氏にはタイトなスケジュールの中、制作に尽力いただき誠にありがとうございました。父を見て周りに迷惑をかけるような生き方はしないよう心がけていたが、何のことはない、やっていることは同じである。ただ、勝手ながら、父と一緒に歩んでこられた方々はこういうことを迷惑とは言わないのであろう。もっと早くに言ってくれよ、とは思っているであろうが。また、法藏館並びに法藏館の満田みすず氏には、この本のみならずこれまで多数の中村薫の書籍制作に関わっていただき誠にありがとうございました。

最後にこの本をお取りいただいた有縁の方々に心よりの謝意を申し上げます。生前は誠にお世話になりました。

合　掌

二〇二一年五月　華厳院釈薫誠　一周忌にあたって

中村　亮

中村　薫（なかむら　かおる）

1948年愛知県に生まれる。大谷大学文学部仏教学科（華厳学）卒業。同大学院人文科学研究科博士課程仏教学専攻修了。同朋大学文学部仏教文化学科教授、同大学院教授、同大学学長を歴任。同朋大学名誉教授。博士（文学）。真宗大谷派嗣講。真宗大谷派養蓮寺前住職。

2020年5月8日逝去。

著書に『ひとくち法話 知っておきたい言葉たち』『ひとくち法話 いま伝えたい言葉』『楊仁山の「日本浄土教」批判』『日中浄土教論争』『中国華厳浄土思想の研究』『正信偈62講』『華厳の浄土』『親鸞の華厳』『いのちの根源』『中村薫講話集』（以上法藏館）。

いのちの浄土　中村薫遺稿集

二〇二一年五月三〇日　初版第一刷発行
二〇二一年八月三〇日　初版第二刷発行

著　者　中村　薫
発行者　西村明高
発行所　株式会社　法藏館
京都市下京区正面通烏丸東入
郵便番号　六〇〇-八一五三
電話　〇七五-三四三-〇〇三〇（編集）
〇七五-三四三-五六五六（営業）

装幀者　野田和浩
印刷・製本　中村印刷株式会社

ISBN978-4-8318-8789-4 C0015